A. MACHADO LIBROS Literatura y Debate Crítico

Sobre la comprensión poética
Berceo, Garcilaso, Aleixandre

JOSÉ BARROSO

SOBRE LA COMPRENSIÓN POÉTICA

BERCEO, GARCILASO, ALEIXANDRE

A. Machado Libros Literatura y Debate Crítico, 28

Colección dirigida
por Carlos Piera
y Roberta Quance

© José Barroso, 2001
© De la presente edición:
A. Machado Libros, S.A., 2001
Tomás Bretón, 55
28045 Madrid
www.visordis.es

ISBN: 84-7774-728-8
Depósito Legal: M-921-2001
Visor Fotocomposición
Impreso en España - *Printed in Spain*
Gráficas Rógar, S. A.
Navalcarnero (Madrid)

Agradezco a la Universidad de Cornell (Ithaca, Nueva York) la concesión de una Sage fellowship (1998), gracias a la cual ha sido posible la realización de este libro.

Só os deuses socorrem
Com seu exemplo aqueles
Que nada mais pretendem
Que ir no rio das coisas.

Fernando Pessoa

Prólogo

A través de los años he conocido a muchos estudiantes, desde el estéril y huidizo que acaba despidiéndose sin terminar nada, al excelente, que sabe lo que quiere, trabaja con entusiasmo, y hace con su tesis una verdadera aportación intelectual. Este fue el origen del libro que hoy presento. José Barroso me honra queriendo que yo escriba el prólogo. Yo deseo ser breve para que mis palabras conduzcan en ritmo acelerado hacia el libro mismo, y en el corto espacio que reivindico, deseo ser útil. Creo que la mejor manera de lograr el segundo propósito es explicar lo que parece más escandaloso de este libro: la lectura de Berceo y Garcilaso desde el pensamiento de Heidegger.

Para los que estudiamos filosofía en el decenio de los cincuenta, Heidegger (1889-1975) era la última palabra del presente y el futuro; quien conocía a Heidegger podía pasar de todo lo demás. Por supuesto, quienes le criticaban o cuestionaban eran los tomistas, los tradicionales, «los conservadores». ¡Cómo han cambiado las cosas! Hoy desde luego el nombre de Heidegger no es ya familiar entre los jóvenes; cuando se le cita hay que añadir entre paréntesis las fechas de nacimiento y muerte, y desde 1933 entre algunos, pero sobre todo desde 1988 (el libro de Víctor Farías), su memoria está manchada por su pertenencia al partido de Hitler hasta 1945. Sin embargo, sigue siendo actual, ya que toda la obra de los posestructuralistas se ha hecho en diálogo con Heidegger. Sin conocer su filosofía no se entiende la «deconstrucción», que en definitiva no es más que la traducción francesa del alemán *Ab-bauen*.

Como este libro está fundado en la hermenéutica de Heidegger, conviene disipar desde el principio cualquier sospecha relacionada con la filiación política del pensador alemán. Desde luego José Barroso no había nacido en los tiempos de Hitler o de Falange Española. Hay testimonios irrecusables de que Heidegger frenó y cortó la carrera de algunos individuos valiosos porque eran judíos, católicos, o por otros pretextos injustos. De esa conducta sólo se puede aprender una lección: vigilar para no caer nosotros en el racismo ni en la pequeñez personal. Pero esa conducta murió con Él y con sus víctimas, y a nosotros nos quedan unos libros, y apuntes de cursos que condensan su actividad como profesor. Lo importante para nosotros es ver la virtualidad especulativa y ética de ese sistema.

Dicho con la concisa claridad que estas líneas permiten, el sistema de Heidegger es un paradigma nuevo que sustituye el de la filosofía occidental iniciado por Platón. El filósofo griego puso como punto de partida la distinción entre sujeto y objeto. Esta dualidad primaria con la cual ha operado la filosofía de Occidente, ha conducido a la relación con la naturaleza y con los otros hombres en la forma de lucha por el dominio. De ahí la guerra y la depredación de la naturaleza, y de unos hombres contra otros. La lengua en ese modelo ha sido un instrumento de poder, imposición del amo al subordinado.

La definición clásica del hombre ha sido «animal racional». A pesar de que la razón era lo que diferenciaba al hombre del resto de los animales, el foco de referencia seguía siendo el carácter animal del hombre, y desgraciadamente no sólo en el plano metafísico, sino en el de la conducta. Frente a esa definición, la de Heidegger: el hombre es ser en el mundo, trató de definir al hombre, no desde una categoría más universal (la animalidad), sino desde el hombre mismo en lo que le constituye como hombre. Y lo originalmente humano es «la existencia». El hombre en cuanto tal es un proyecto de realización de sí mismo. Para ese proyecto cuenta con su componente biológico, pero incluso ese elemento animal cobra nuevo sentido desde lo específica y privativamente humano. Como un paso lógico en esa actitud, Heidegger elimina la palabra vida en la definición del ser humano, y la sustituye por existencia. Vida connota primariamente las funciones fisiológicas de los organismos, mientras existencia denota el modo específico de realizarse el hombre: un ser definido por su capacidad de proyectar desde su instalación en una circunstancia que le brinda determinadas posibilidades.

Toda definición del hombre desde la biología está en peligro de caer en el racismo en sus muchas formas posibles, y de privilegiar la herencia o el pasado a la hora de ofrecer oportunidades a los individuos. En cambio, desde Heidegger se privilegia un presente con espesor, es decir, el presente es todo lo que me constituye aquí y ahora. Este instante mío no es el que se mide con el reloj, sino mi estado de ánimo en cuanto sobrecogido por unas preocupaciones personales, por el horizonte de sociedad con el que establezco mis referencias, y con la dimensión de pasado y de futuro que actúan sobre mí. Cada individuo es una misión irrepetible e intransferible, cuyo cumplimiento llena el mundo y cuya frustración lo empobrece. La función de la sociedad y del Estado es ayudar a esa realización del destino personal.

En esta filosofía desaparecen o pasan a un plano completamente secundario la raza y la herencia. Toda la filosofía de la vida vigente en Alemania durante la primera mitad del siglo XX, incluida la filosofía de la vida y la cultura del pensador judío Georg Simmel, podía servir de pretexto para el racismo. En cambio la de Heidegger no ofrece ni resquicio para el mero pretexto, mucho menos puede ofrecer fundamento para la criminal teoría. Desde el foco del pasado se discrimina a los estudiantes, si hasta un cierto año de escuela no han rendido lo que se espera de ellos; desde el existencialismo, se acentúa la responsabilidad del estudiante en el aprender y se le ofrecen opor-

14

tunidades para su desarrollo. Desde el foco del pasado se castiga el crimen con la pena de muerte; desde Heidegger se concibe incluso al criminal como sujeto capaz de rehabilitación. Para la filosofía de la existencia no tiene sentido la pena de muerte. Y desde el punto de vista psicológico todos debemos aceptar que nuestros errores del pasado ya no son reversibles. Por eso debemos aceptar en todo momento la responsabilidad de ese futuro que todavía está en nuestras manos.

Ya en el territorio de la lengua y la literatura, la idea de lengua en Heidegger, como Barroso repite en varios lugares de su libro, es lo más opuesto que se puede imaginar a cualquier dictadura y dictado. La lengua es la estructura de sentido en la que nos encontramos instalados todos los hombres. Ahora yo deseo exponer fiel y claramente los fundamentos del pensamiento de Heidegger; por tanto, no quiero decir opiniones mías, sino que quisiera desaparecer para que el pensamiento del filósofo quede claro. Cuando hablamos honradamente sólo intentamos decir lo que se nos impone como sentido: lo que debemos decir. Hablar es escuchar, dice Heidegger. En mi libro *Las humanidades en la era tecnológica* (Oviedo, Nobel, 1998) he dicho que la lengua del humanista es la lengua de la propuesta y del diálogo, lo contrario de la lengua del abogado, del comerciante y del político, que tratan de imponernos un producto o un veredicto. Heidegger concuerda con el aforismo de Machado: «¿Tu verdad? No; la verdad. Y ven conmigo a buscarla; la tuya, guárdatela». La verdad más allá de nuestros quereres, y buscada en un viaje compartido, sin que ningún sujeto se la apropie con la intención de dominar al otro. En Heidegger el e-dicto no sale de la voluntad de ningún individuo, sino que es la misma lengua, el sentido, que llama a los dos interlocutores. En lo que yo voy diciendo aquí no quiero imponer nada, sino ver la realidad como es, invitando a mi lector a que Él también la vea y corrija mis errores.

A mi parecer, la palabra que en este libro condensa la concepción de la lengua como una guía que nos llama a la realidad es «*deferencia*». Barroso ha creado un concepto extraordinariamente original, que funde la función bien conocida de la lengua como *referencia,* y la idea heideggeriana de *diferencia*. La diferencia en Heidegger es la estructura primaria de la realidad, del sentido, y por tanto, de la lengua. La lengua es el despliegue de la realidad concreta que designamos al hablar, y del trasfondo en que esa realidad cobra su ser y sentido. Siempre que decimos una cosa decimos dos: lo que queremos decir, y un fondo que también se revela en la cosa concreta como su fundamento. En la palabra barroco se sobreentiende estilo artístico, en la palabra imperio se sobreentiende sistema político, etc. La diferencia de Heidegger es la vieja cuestión de los universales, pero no vista en el plano de los puros conceptos, sino como estructura de la realidad. La deferencia es la estructura primaria de la lengua (diferencia) en la medida en que nos llama a seguir los tentáculos de la realidad y nos convoca a la escena del texto (referencia).

15

Todo esto puede tener sentido; pero lo que parece discutible es situar a Berceo en el contexto descrito. La lengua es para Heidegger el momento creador en que con la palabra estalla el sentido. Es el momento en que se hace la luz o surge el fuego. Esa experiencia de la lengua es la de Unamuno, y entre los autores citados en este libro, la de Guillén y Aleixandre; en cambio, poemas como los «Milagros de Nuestra Señora» o las vidas de santos metrificadas, son textos dogmáticos y tópicos. Y Garcilaso, si no es dogmático, inserta sus posibles experiencias de amor en la urdimbre pastoril tópica y típica del Renacimiento italiano.

Si la lectura existencialista puede sorprender con respecto a Berceo y Garcilaso, no puede extrañar en el caso de Aleixandre. Él busca el punto en que la conciencia se descubre a sí misma inocentemente ("sin funda"), sin ningún factor que la esclavice a ningún tópico. El poeta desea ser y conocerse plenamente en un instante. Es lo que han deseado todos los que han puesto la eternidad como sustancia del tiempo y como ideal frente a la trayectoria en la que el hombre depende de lo otro o de los otros. Pero en Aleixandre, la eternidad no es el utópico instante, sino el pedestal de una mirada al mundo que refleje la verdad de ese mundo. Hay que ser cauto con todos los tipos de discurso que heredamos, pero hay que saber que siempre estamos en algún tipo de discurso. Hay que luchar contra los tópicos retóricos, pero siempre estamos en algún tópico. Lo importante es traspasarlo para descubrir su verdad y vivir en ella y desde ella.

Curiosamente, este ideal de Aleixandre es el mismo que Berceo –y Garcilaso a su propia manera– expresan con la dualidad corteza-meollo. No sólo Berceo, todos los autores medievales nos invitan a pasar más allá de la corteza para encontrar el verdadero mensaje de sus textos. ¿Por qué ese afán? ¿Por qué en vez de expresarse en una forma supuestamente «fea» (Juan Ruiz) para darnos un «saber non feo» no nos dieron directamente el maravilloso mensaje? Sencillamente, porque la lengua les llamaba y no estaban seguros de que su texto acabado transmitiera todo aquello que de hecho querían transmitir.

La dualidad corteza-meollo se ha interpretado frecuentemente como alegoría. A ello invita el mismo Berceo en la Introducción a los *Milagros*. Pero, como advierte Barroso, lo poético está en esa corteza, en ese peregrino que llega al prado cencido, donde corren cuatro arroyos limpios, rápidos y abundosos, con árboles, flores y pájaros que cantan en sus ramas. Además del meollo-alegoría que descubre el mismo autor, y que se funda en significados arbitrariamente introducidos por él y no en el significado convencional de los términos de la corteza, existe un meollo de la corteza poética.

La dualidad corteza-meollo tiene en Berceo, en Juan Ruiz, en la Celestina, y en todos los autores medievales, al menos estos cuatro sentidos: 1) El contraste entre fábulas populares, humorísticas, incluso escabrosas, con la lección seria que los autores quieren darle al lector. Este es el sentido de la precaución con la que Juan Ruiz nos dice que «en feo libro yace saber non feo». 2) En la

Celestina, además de encontrar la oposición anterior se da otra nueva: Rojas invita a los lectores a que suspendan todo juicio mientras estén leyendo las distintas sentencias o secciones del libro, hasta que lo lean todo y entonces puedan dar sentido a las partes. 3) La literatura vernácula no tenía el reconocimiento social que tiene hoy. De ahí que los escritores, llamados a escribir por vocación y voluntad artística, tuvieran que justificar su transgresión apuntando a la realidad descubierta por la escritura. Y como no tenían la expresión ontológica adecuada, expresaban su visión en términos morales. 4) ¿Qué es, pues, el meollo? La llamada de los poetas medievales a penetrar más allá de la superficie del texto es una llamada a leer el texto en toda su densidad o espesor, a leer bien.

Los autores medievales convocan al lector y piden su colaboración, pero no sugieren ni remotamente que el lector construya el texto. Al contrario, el texto es la realidad objetiva, la zarza ardiente de Moisés –copiando de Ortega y Gasset la preciosa imagen– de donde viven y beben el escritor y el lector. Para los medievales el texto humano es ya móvil e inseguro, ya que es un buceo del hombre en el texto verdadero puesto por Dios en las cosas. Como dice Santo Tomás, el entendimiento del hombre recibe su ley de las realidades, pero las realidades la reciben de Dios. Por eso, el entendimiento humano es un receptáculo «en el que puede inscribirse todo el universo» («ut in eo describatur universus orbis»). En esta idea se funda el concepto del signo en Berceo y en Garcilaso. La filosofía de Heidegger ha repetido la misma experiencia, pero sin involucrar a Dios. La experiencia nos dice que la lengua es una llamada a un vértice o nimbo en el cual nos encontramos. Hablar es expresar lo que me parece que debo decir; por consiguiente, hablar es un escuchar. Enseñar es ponerle a mi estudiante en la vía de descubrir por sí mismo lo que yo deseo enseñarle. Por consiguiente, enseñar es apuntar a la realidad que a mí también me llama, porque yo enseño lo que creo deber enseñar. De esta manera el texto nos convoca a los hablantes como el lugar del encuentro.

La palabra griega para lugar es *topos*. La literatura medieval, según el gran romanista Ernst Robert Curtius, repite unas fórmulas derivadas de la literatura latina, que se encuentran en las distintas lenguas europeas. A estas constantes de expresión las llama los *topoi*. Curtius escribió unas observaciones polémicas sobre el carácter histórico que Menéndez Pidal veía en algunos pasajes del Mio Cid, recordando que algunas de esas expresiones eran comunes a otros autores medievales. Con respecto a Berceo intercambiaron también obervaciones Curtius y Dámaso Alonso. El maestro español leía el atardecer de Berceo en el monasterio de San Millán como una experiencia personal. Curtius, en cambio, insertaba la descripción en la tópica común a otros autores. Dámaso Alonso contestó que en definitiva las dos cosas son posibles. Al fin y al cabo, cuando siento o frío o calor lo tengo que decir con una frase que repite todo el mundo.

El problema de expresión personal y topos se puede entender en dos planos: primero, realidad y discurso. Toda experiencia mía, por muy personal y honda que sea, tiene que expresarse en la lengua común. La frase «te quiero» expresa tantos planos de intensidad como individuos la pronuncien. El discurso es una expresión tópica, pero que refleja la postura personal en los rasgos de estilo por los que se filtra el hombre. Segundo: «Yo soy yo y mi circunstancia» (Ortega). Los hombres estamos siempre instalados en un lugar (topos) físico (naturaleza y paisaje) e histórico: en una ciudad, universidad, compañía, o estamos "en la calle". El lugar del hombre es antes que nada un lugar histórico y social. Pues bien, en este libro se reconstruyen las circunstancias sociales y culturales en los que están instalados Berceo y Garcilaso.

El topos donde Berceo está instalado es el mundo de la fe. No sólo cree con sencillez los dogmas de la Iglesia, sino milagros y leyendas religiosas populares. Y además los utiliza con el fin de afianzar la fe de sus oyentes. En la medida en que copia los textos de la tradición consagrada, no sería un poeta personal; pero lo es porque él asiente a esa creencia y a ella convoca a su auditorio-lector. Su público son los «Amigos e vassallos de Dios omnipotent». A estos les pide el «consiment», o sea, el compartir con Él la experiencia de la que quiere hablar: «el buen aveniment». Con esa llamada comienza el poema.

El lector no encontrará en este libro las preguntas que tradicionalmente se plantean con respecto a Berceo y a Garcilaso: las fuentes concretas o la tradición en que se inspiran, el posible interés económico del monasterio de San Millán, o la identidad de Elisa en las canciones del poeta toledano. Podrán también echar de menos todo lo conocido sobre la circunstancia social de los dos poetas. Pero todo eso, que Barroso conoce y utiliza en algunos momentos, es a su vez lo tópico de la crítica. Lo que aquí se ofrece es una teoría y praxis de la lectura de poemas en cuanto poemas. Se capta el significado de las palabras en sí mismas con sus múltiples reverberaciones, y a los poetas en el puente entre lo que quieren decir y lo que dicen sin querer, porque al margen de toda intención, lo dice la lengua.

El lector notará que he hablado solamente de los capítulos dedicados a Berceo y a Garcilaso, no al de Aleixandre. La lectura de este poeta desde Heidegger no necesita justificación. Los poemas de Aleixandre son el nacimiento del mundo en lengua: *Espadas como labios, Pasión de la tierra, La destrucción o el amor, En un vasto dominio*. Espadas que son besos y palabras, con la misma fuerza que Hamlet pensaba hablarle a su madre: "I will speak daggers to her". Pasión de la tierra; no pasiones ni sentimientos subjetivos, sino pasión de la tierra que nos envuelve y nos penetra. La destrucción o el amor; el amor es siempre constructivo, pero en su deseo de penetración y de absorción aspira a fundir en uno a los amantes. En un vasto dominio: la poesía puede ahondar en el punto de nacimiento del mundo o abrazar el mundo; eso hacen los grandes poemas de Dante y Milton, y *El Cristo de Velázquez* de Unamuno.

Barroso utiliza con insistencia el término *Befindlichkeit*, signo fundamental en la definición del hombre que da Heidegger. En el paradigma occidental la conciencia o razón humana tenía dos vectores: el entendimiento y la voluntad. La sensibilidad era una especie de conciencia corpórea inferior al plano de las potencias espirituales. En San Agustín, la conciencia de la propia persona es la memoria, y el entendimiento y la voluntad son dos formas idénticas y a la vez derivadas de esa conciencia-memoria. Esta constitución de la persona refleja la Trinidad divina, donde la memoria es el Padre, el entendimiento el Hijo, y el amor el Espíritu Santo. La persona es imagen de Dios y está inserta en él participando de su ser como causa ejemplar.

En el siglo XVIII, la sensibilidad fue reconocida como igualmente digna que las otras facultades, y así surgió la imagen del hombre neoclásico en el perfecto equilibrio de entendimiento, sensibilidad y voluntad. Es la idea de cultura que se codifica en Kant, y que refleja el joven Ortega neokantiano en los primeros años del siglo XX. Frente a esta idea del hombre, la *Befindlichkeit* de Heidegger es la conciencia de toda persona, que no se encuentra nunca como pura conciencia cognoscitiva, sino afectada o "atemperada", como dice Barroso. Básicamente el término de Heidegger es lo que expresaba Unamuno con el término "sentimiento", una afección primaria y radical desde la cual pensamos y reaccionamos sentimentalmente a las experiencias concretas. Pues bien, toda poesía surge de ese sentimiento, que involucra plenamente a la inteligencia. No se trata, pues, de una poesía irracional sino suprarracional. "Siente el pensamiento, piensa el sentimiento" (Unamuno). Esta tesis, tan fácil de conceder para Aleixandre, se aplica a Berceo y Garcilaso, pero con los rodeos descritos, es decir, reconociendo los tópicos como lugares donde los poetas se encontraban existencialmente instalados. El escándalo no está, pues, en que los tópicos de Berceo se lean desde experiencia existenciales, sino en que no se recobre el significado existencial de los topoi y de toda la retórica clásica.

Ciriaco Morón Arroyo
Ithaca (Nueva York), mayo 2000

Introducción

Después de casi cincuenta años, sigue en pie la propuesta de Dámaso Alonso en *Poesía española* referente a una «estilística del futuro» que estudie por igual la forma sea desde la relación entre significante y significado «en la perspectiva del primero hacia el segundo» (Alonso, 32) o *forma exterior,* sea esa misma relación «pero en la perspectiva desde el significado hacia el significante» o *forma interior* (33). En el análisis poético se ha venido practicando mucho más el estudio del significante —es el caso de Dámaso Alonso—, que tantos frutos ha dado desde el formalismo ruso antiguo (Shklovsky, Propp, etc.) y moderno (Yuri Lotman en *La estructura del texto artístico*) hasta el estructuralismo de tipo francés (Barthes), o el norteamericano con su representante actual en Jonathan Culler. El estudio del significado desde un punto de vista lingüístico ha venido de la mano de la semántica, y desde un punto de vista cultural, de la semiología y la semiótica. Los estudios más modernos se centran mucho más o en los mecanismos culturales que están insertos en la entidad misma del significado *(Cultural Studies),* o en el estudio de la expresión desde la diferencia sexual. En esta última corriente, los ensayos de Foucault sobre la sexualidad son buen precedente al estudio de la literatura femenina y al campo de la *queer theory,* realizados principalmente en Francia y en Estados Unidos.

Mi investigación quiere contribuir de alguna manera a enriquecer la perspectiva del «significado» que Dámaso Alonso dejaba como incógnita. Trato de desarrollar una teoría del signo donde la palabra poética es el *sentido* —mejor que el significado— establecido entre texto y lector desde una línea de comprensión que se basa en la actitud o estado de ánimo en que son recibidas las significaciones. Desde la ontología y la hermenéutica de Heidegger pretendo estudiar este aspecto de la actitud y estado de ánimo como unidad de comprensión que da toda la objetividad al sentido y, en consecuencia, al signo poético. La adopción de un método de analisis literario basado en la hermenéutica de *Ser y tiempo* (1927) viene justificada porque en ella se plantea una teoría general del conocimiento donde se ordenan los puntos principales de aproximación a las cosas para dar identidad a las mismas. La hermenéutica heideggeriana es la mejor opción que he encontrado para plantear un método de acercamiento a los textos y para confeccionar una teoría de la palabra poética cuya objetividad se basa en este primer acercamiento. La actitud y el estado de ánimo que se despliega de la palabra poética y que llega a la comprensión del lector es el elemento que da entidad y facticidad al texto. En este aspecto, la teoría de Dámaso Alonso de acceder al signo por la vía de la afectividad resulta todavía moderna y vigente: «porque no hay, no pasa por la mente del hombre ni un solo concepto que no sea afectivo, en grado mínimo o en grado sumo (27)»; afirmación que hace recordar una de las tesis del capítulo quinto de *Sein und Zeit* (1927) [*SuZ* en los sucesivo] de Heidegger: no hay conocimiento que no se vea afectado por una actitud previa *(Befindlichkeit)* que lo moldea y diseña.

Ahora bien, la hermenéutica de Heidegger se caracteriza por el esfuerzo de superar todo subjetivismo, reconociendo al mismo tiempo que el conocimiento más objetivo es «conocimiento», es decir, una actividad de la existencia humana. Esta condición hace que **a)** el conocimiento sea una operación inserta en la conciencia total del ser humano, que implica un modo de encontrarse afectado incluso corporalmente. A este sentido global de la conciencia como sentirse afectado lo llama en alemán, el «modo de encontrarse»: *Befindlichkeit.* **b)** Toda actividad de conocimiento da por descontado o presupone una intención, un contexto y, por consiguiente, una perspectiva, de ahí que todo conocimiento esté históricamente condicionado. Reconociendo este condicionamiento, frente a todo idealismo Heidegger acentúa la objetividad del texto y la responsabilidad (entendida también en el sentido literal de respuesta) por parte del lector de responder al texto. Por ello la objetividad del texto se presenta en los siguientes estadios:

1. La lengua es la estructura objetiva de sentido, o sea, el ser ordenado y articulado de las cosas, que utiliza el hombre para manifestarse.

2. La lengua del hombre es el esfuerzo de responder a la estructura objetiva de sentido, al ser de las cosas, de manera que hablar de ellas sea permitirles que ellas se manifiesten.

3. La poesía es creación de un mundo –el poema– en lucha con la lengua, que en el poema reverbera en toda su plenitud, es decir, en sus funciones emocional, intelectual, sensorial y estructural[1].

4. El poema se impone al poeta que lo crea en la medida en que formula lo que se le impone –inspiración–, y al lector, que lee en la medida en que desarrolla o despliega los signos condensados en el poema.

5. Los términos empleados en esta tesis –sentido, deferencia, estado, tempo– intentan expresar el encuentro del esfuerzo personal de creación y lectura con ese mundo objetivo que se impone al creador y al lector.

6. La *Befindlichkeit* constituye una especie de trasfondo y apriori de todas las funciones de la lengua, porque prescindiendo de lo que se diga y de cómo se diga, autor y lector siempre se dicen o pronuncian a sí mismos, de forma que en todo decir, la función emocional subyace y rodea a todas las funciones expresivas de la lengua.

Por lo que a esto se refiere, Dámaso Alonso propone unos estudios del significado («forma interior») donde se trate «de ver cómo afectividad, pensamiento y voluntad creadores, se polarizan hacia un moldeamiento» (33). Por otro lado, Carlos Bousoño opina que «el poema, a imitación y como expresión de lo que ocurre en el alma del hombre, consistirá también un fluir, más o menos evidente, de estados de conciencia cambiantes que se desenvuelven en el tiempo» (Bousoño, *Teoría de la expresión*, 25). Pero en los dos esta dimensión afectiva no es una estructura objetiva del conocimiento y de la lengua –de la existencia humana–, sino una «expresión del alma.»

Por ello, mi trabajo trata de objetivar esa «afectividad» o «pensamiento» y esos «estados de conciencia» como estructuras de comprensión donde se diseña el sentido de la palabra poética y del texto. La objetividad se encuentra en el acto mismo de la comprensión como lugar de encuentro entre un mundo de sentido que es el texto y la instalación del lector en ese mundo. Los dos coinciden en una unidad o línea que circula por los puntos del referente, puntos que la atención del lector despliega. La lectura consistiría, pues, en la respuesta a ese mundo dejándose hablar por él.

La forma de instalarse en ese mundo de sentido se hace a través de la *Befindlichkeit* o «estado de ánimo» que, según Heidegger, es la estructura primera desde la que se desenvuelve el discurso y en la que se basa la objetividad del signo poético; y por lo tanto, la forma más primaria de comprender las cosas. Por ello, no sólo el estado o *Befindlichkeit* será objeto de estudio en este trabajo, sino que buena parte de él consistirá en traspasar algunas estructuras fundamentales del ser *(Dasein)* según Heidegger a estructuras lingüísticas y poéticas que podrían definir al signo y a la comprensión poética. Conviene dejar claro que estas estructuras no se adosan a los textos comentados, antes bien, se despliegan desde los textos mismos a través de una lectura muy detallada. La originalidad y el esfuerzo de este trabajo quizá consista en crear, desde el ángulo de la comprensión poética como posibilidad hermenéutica, una terminología poética que se desprende de los mismos textos y que a la vez responde a estructuras fundamentales de *Sein und Zeit* de Heidegger; me refiero a términos como: *deferencia y referencia, sentido, estado, involucración y tempo,* que son aspectos distintos de cómo se desenvuelve el signo poético desde un plano de comprensión.

Ahora bien, ¿cómo se desarrolla la comprensión y la instalación en ese mundo de sentido en tanto que lugar donde se circunscribe la palabra poética? Para Heidegger la esencia del signo poético no es algo determinado por una retórica o poética establecidas, sino que es la existencia del mismo como suceso o evento que ocurre en la comprensión de escritor y lector. La existencia para este filósofo consiste en un «tener que hacerse»; de igual modo, la realidad de un texto consiste en un tener que desenrollar su sentido desde una línea de comprensión: el poeta cuando crea y el lector cuando lee, primordialmente, buscan el sentido. Por ello, el triángulo hermenéutico sería texto-lector-sentido basados en un concreto *hic et nunc:* el «aquí» donde *texto* y *lector* se encuentran en un *topos* o lugar de encuentro que es una realidad compartida o *mundo (Welt) de sentido,* y el «ahora», o sea: tal sentido se desenvuelve como un evento que ocurre a la comprensión del lector dentro del ámbito de la apropiación que es el texto. Para evitar toda incomprensión subjetivista conviene añadir que en Heidegger *hic et nunc* se refieren a la situación histórica de la persona. Precisamente, el carácter histórico *(Ereignis)* de la persona consiste en apropiarse *(Ereignen)* esa misión emitida por el tiempo histórico *(Geschick > Geschichte).*

En resumen, no importa tanto la distinción significante/significado o contenido/forma cuanto el concepto de sentido como última estructura donde se encuentran lector y texto. En términos más sencillos: lo que buscan escritor y lector es un hilo de sentido a las cosas y las palabras, y esto se encuentra en el momento en que el texto –o el signo poético– es un evento que se condensa y circunscribe en la comprensión o el «pensamiento» –como prefiere Dámaso–. En este sentido, Yuri Lotman aboga porque «le dualisme de la forme et du contenu doit être remplacé par le concept de l'idée qui se réalise dans une structure adéquate et qui n'existe pas en dehors de cette structure» (Lotman, 40). Ahora bien, desde mi esquema teórico, tal estructura, tomada como código lingüístico y semiótico o «un système défini d'éléments invariants et de règles pour leur correlation» (41-42), se debe comprender como un evento que ocurre desde la comprensión del lector. En este sentido, Lotman llega a admitir que «la structure fortuite du modèle construit par l'écrivain s'impose au lecteur comme langage de sa conscience» (Lotman, 53); sin embargo, conviene añadir que Lotman reconoce el texto como centro al margen de la actualización que le den los lectores. Y por ello, esta circunscripción de la palabra poética al tiempo del evento y al lugar de la comprensión se entiende mejor desde la hermenéutica. Para Heidegger las cosas están ligadas al encuentro que tenemos con ellas, pero no porque las ponga la inteligencia, tesis corrientemente atribuida por el idealismo, sino porque todo tipo de orden, referencia y finalidad constituyen el mundo en que la inteligencia se encuentra. Por eso, hay que estudiar el signo como un orden de referencias o mundo de sentido inseparable de la conciencia. No por ello dejo de lado la definición de Dámaso Alonso, al contrario, la considero muy válida para este estudio: «el significado no es concepto, sino «representación de la realidad» […]: entendemos por «representación» nuestro modo de registrar la realidad», de la que un componente importante es «la actitud del hablante ante esa realidad» *(Poesía española,* 603). En efecto, ese modo de registrar la realidad hace del signo poético un evento o representación ligada a la conciencia en forma de comprensión, dentro de una estructura de significación y sentido –«significado»– que lleva ya impresa una «actitud» que la moldea –*Befindlichkeit* para Heidegger.

24

Estimo que una de las aportaciones de este estudio es el concepto de *deferencia,* que se irá desarrollando repetidamente a lo largo de los tres ensayos: Gonzalo de Berceo, Garcilaso de la Vega y Vicente Aleixandre. La comprensión tiene una actitud previa que moldea las significaciones y crea un lugar de encuentro o *topos* donde son colocadas. Aquí previo no tiene un sentido de anterioridad mecanicista sino como trasfondo envolvente desde el cual toda significación se abre y se despliega. La deferencia alude al modo como la comprensión se desenvuelve en la referencia poética que viene dada por el texto. Comprender significa para Heidegger «sich auf etwas verstehen», o literalmente, 'ser entendido en algo'; quiere decir que el paso de la comprensión por la referencia consistirá en los términos en que «tú te manejas» o desenvuelves hasta conocerlo. Pero, como ya he señalado al principio, todo conocimiento o toda comprensión están siempre atemperados por una actitud previa. Lo que supone que esos términos en que escritor y lector se manejan a lo largo de la comprensión del signo poético entran en una unidad de preocupación o inclinación por las significaciones. *Deferencia,* en una definición muy general que luego se explicitará detalladamente y desde los textos, es el ángulo de atención o inclinación en que las significaciones son colocadas según los términos en que ésta desea manejarse a lo largo y ancho de la referencia. La deferencia traduce el término heideggeriano *Sorge (SuZ,* VI, § 43), esto es, una unidad de pre-ocupación en que las cosas son ocupadas y colocadas según la inclinación previa que se tiene por ellas.

Por otro lado, al estar insertas en un ángulo de inclinación, las significaciones se convierten en involucraciones. Por ello, colocar las significaciones supone crear una línea de pensamiento y comprensión que se desarrolla según el encuentro –atemperado por un estado de ánimo *(Befindlichkeit)*– que se tiene con ellas. Por eso la deferencia se desprende de la referencia al modo de una diferencia que coloca las significaciones desde una actitud de encuentro y atemperada. Quiere decir que el signo poético es la estructura de involucración que las coloca según el grado de relación, interés y reciprocidad con que son recibidas. Con esto traduzco de nuevo la fórmula heideggeriana *(SuZ,* III, §18) consistente en que las cosas se definen por la estructura de referencias *(Bewandtnis),* llamadas e involucraciones que hay detrás. Desde este punto de vista, *sentido* tendría otra significación que será clave a lo largo de este libro: es el *sensus* o facultad de reunir en un todo significativo aquellos puntos de la referencia que ha *tocado* la atención o deferencia del lector; *sentido* es también la determinada orientación o sentido –ese hilo de contigüidad– que la deferencia y atención da a las significaciones. Pero este concepto será pormenorizado a lo largo del libro.

En conclusión: *deferencia, referencia, sentido y estado* son conceptos que van a ser desarrollados a lo largo de este trabajo, y que serán tratados como caras diferentes de una misma realidad que es la comprensión poética: es decir, la palabra poética como un evento que ocurre dentro de ese triángulo hermenéutico de texto-lector-sentido.

25

Así las cosas, conviene presentar una guía previa de las proposiciones que han ido marcando cada parte y cada capítulo. La primera parte abordará detalladamente la introducción de los *Milagros* de Gonzalo de Berceo como una propuesta de lectura de toda la obra donde se perfilan los ejes principales de un texto entendido como ejercicio de comprensión poética. Mi estudio se basa en el análisis de las vías básicas de comprensión como estructura previa donde se colocan los esquemas retóricos, poéticos y filosóficos presentes en el texto y en circulación en aquella época, mientras que otros estudios enfocan el análisis desde dichos esquemas, pero apartados del ámbito previo de comprensión en el que se insertan. En el primer capítulo se tratarán los términos en que Berceo plantea la lectura del texto de los *Milagros*. De la lectura detallada de la primera estrofa se desprende que el texto es planteado como *aveniment* o suceso que ocurre al lector, concretamente a su comprensión. Así ordenada, la comprensión en forma de *aveniment* es presentada por Berceo como un lugar de posesión, y por eso será aclarada desde diferentes ángulos: como posesión o *jouissance* (Barthes) y como comprensión atemperada en un estado de ánimo en tanto que estructura de trasfondo (Heidegger). Pero esta teoría de la lectura presente en las propuestas berceanas se configura como *aveniment* en tanto que hecho religioso. Por eso, se replanteará el *aveniment* desde el concepto agustiniano de *logos* como *scientia* o comprensión, que es a su vez *Sapientia* o espejo en enigma de la palabra de Dios. Y por último, se estudiará el *aveniment* como un espacio retórico que pide del lector una actitud o *pathos* que delínee las significaciones y el sentido; se trata de una *captatio benevolentia* que pide un estado de ánimo o *Befindlichkeit* positivos *(benevolentiae)* que atempere el acto de la comprensión.

La estructura léxica de la palabra *consiment*, abordada en el segundo capítulo, coincide con la estructura de *deferencia* o unidad de atención con que se reciben las significaciones. Este concepto ayudará a entender los *topoi* del «prado» y de «amigos e vassallos» no como un envoltorio retórico vacío, sino como un lugar de encuentro de la comprensión donde la atención o deferencia del lector diseña las significaciones siempre –y como condición *sine qua non*– desde los puntos que se despliegan de la misma referencia. La deferencia, como posibilidad que diseña los términos en que la atención se desenvuelve a lo largo del texto, permitirá distinguir dos momentos o dos posibilidades creativas independientes que hasta ahora han sido estudiadas por la crítica como una sola: estrofas 1-15 del «prado» y estrofas 16 hasta el final de la alegoría del prado.

En el capítulo tercero se plantea el texto berceano como estructura de involucración o itinerario que el *consiment* del lector ha elegido desde el referente o *aveniment* para manejarse a lo largo de la comprensión del poema. Se hará especial hincapié en la definición misma de involucración y se darán varios ejemplos que aclaran la lectura de la introducción; por ejemplo, involucraciones geo-métrico-sintácticas y bíblicas, que diseñan el prado como un «hortus conclusus» o paraíso interior de devoción. Especial atención recibirá

26

la estrofa 16 donde se planteará la distinción «corteza/meollo» desde una deferencia atenta a problemas hermenéuticos de la Biblia; los textos del *Hexaemeron* de San Agustín plantearán una lectura original de «palavra es oscura».

La segunda parte es una mirada crítica a varios poemas de Garcilaso de la Vega: soneto I, canción IV y égloga I; con textos de apoyo de Ausiàs March, Dante y Guido Cavalcanti, entre otros. Desde una atenta lectura, el objetivo consistirá en establecer una red semiótica a partir de los términos poéticos –de ahí que el subtítulo sea «glosario»– que son puntos neurálgicos o lugares de encuentro *(topoi)* de la palabra poética como comprensión; me refiero a palabras tales como *espirtu, estado, fantasía, imagen, sentido,* etc. Dichos términos quedan explicados desde un glosario técnico filológico y filosófico que despliegue su naturaleza poética; me refiero a términos tales como *phantasma, cogitatio, Befindlichkeit, An- und Ahkehr,* imitación, etc. Muchos de los términos poéticos que aparecen en los textos garcilasianos pueden pasar desapercibidos si se ignora que Garcilaso los usa de forma técnica desde la teoría antropológica aristotélico–tomista tan en boga en la época. Por eso, es fundamental conocerlos si se quiere seguir fielmente el hilo de discursividad y argumentación amorosa de los «casos de amor», y sobre todo, encontrar un sentido. Analizada esta misma red de términos desde una perspectiva ontológica heideggeriana, permitirá interpretarlos como ejes fundamentales y constitutivos de la comprensión y del signo poético.

El primer capítulo gira en torno a la noción de «estado», que aparece ya desde el primer verso de toda la obra: «cuando me paro a contemplar mi estado». Se configura «estado» como la estructura que no sólo atempera todo encuentro con las significaciones y metáforas, sino que las diseña y les da facticidad y objetividad, es decir las constituye como realidades poéticas. Una interpretación de la poesía garcilasiana como ejercicio retórico de *imitatio* o como una *expresión* de un estado de ánimo son perfectamente factibles y arriesgadas, lo importante en este estudio es leer «estado» como esa unidad primaria de comprensión que permite perfilar las significaciones. Lo que lleva a interpretar la imitación desde un ángulo más amplio, cual es: imitación como ejercicio de ponerse en manos de un mundo de sentido regulado por un «estado» que diseña previamente, y desde el propio texto, el encuentro con las signficaciones.

En el segundo capítulo, se pone como ejemplo general la Canción IV de Garcilaso y como particular la significación de la palabra «pensamiento» y *cogitatio.* El «pensamiento» es visto como *co-agitatio* o co-agitación de imágenes y significaciones dirigida a través de una racionalidad atemperada previamente por un estado que de antemano las diseña y las hace circular en dos direcciones fundamentales: una, con un movimiento de versión positiva o «dulce y blandamente», otra, a contracorriente o *immoderata cogitatio* constituida desde un estado de temor que las orienta hacia la aversión o según vengan de forma «desatinada». Especial interés tiene la definición de «sentido» como la orientación determinada que toman las significaciones según el estado que las atempere.

Ya en el último capítulo, la investigación semiótica se centra plenamente en la palabra «sentido» desde el fragmento de Garcilaso «no me podrán quitar el dolorido sentir...». La palabra «sentido» es estudiada como una estructura fundamental de percepción que supone tocar las significaciones desde un estado previo que las orienta en una determinada dirección o sentido –rumbo–; ésta a la postre llega a convertirse en una estructura de significación. Se hace especial hincapié en sustituir la idea de la metáfora regida por la vista presente en la *Retórica* de Aristóteles y que llega hasta Lorca, por una idea del signo poético regida por el sentido que toca y modula las significaciones según éstas queden afectadas por un estado previo que las encuentra.

La tercera y última parte tiene como tema de estudio el poema «El Vals» (*Espadas como labios*) de Vicente Aleixandre. Este poema es un buen ejemplo de cómo el sentido se convierte en una espiral de significación cuyos ejes principales son los distintos estados de ánimo. En las otras partes el estado era visto como una forma de encontrar las significaciones en un *topos* o lugar de encuentro. Este ejemplo de poesía contemporánea lleva ahora a tratar «estado» desde una perspectiva temporal, y por ello, queda traducido en la palabra *tempo* o el tiempo de encuentro y recorrido necesarios para que la deferencia vaya tocando los rasgos que se van presentando. El poema «El vals» demanda una lectura que sea prospección en la superficie de la referencia para encontrar una red de rasgos. Éstos no se conectan desde una retórica establecida –como ocurre en la poesía antigua–, sino desde una combinación y ejercicio de tempos y planos –o retazos de la memoria perceptiva–, que permiten construir un objeto cuatridimensional; la cuarta dimensión consistirá en el tempo de recorrido que emplea la atención y la deferencia para establecer un pasaje entre cada plano o cada retazo.

Agradecimientos

Agradezco mucho a Joan Resina (Cornell University) su lectura inteligente del manuscrito ya que me ofreció nuevos puntos de vista y muy oportunas puntualizaciones. El agradecimiento más especial va a Ciriaco Morón Arroyo (Cornell University), ya no sólo por haberme introducido y traducido a Heidegger –sin su lectura meditada en más de treinta años no habría tenido lugar este libro–, sino sobre todo porque él es para mí vivo ejemplo de apertura intelectual y humana.

NOTAS

[1] Este aspecto ha sido tratado con gran profundidad por Ciriaco Morón Arroyo dentro de una teoría general de las humanidades, en *Las humanidades en la era tecnológica*, Oviedo, Nobel, 1998; especialmente en los capítulos VI, VII y VIII.

PRIMERA PARTE

Aveniment y *consiment* poéticos:
El texto como deferencia en los *Milagros*
de Berceo

I

El texto como *aveniment* poético y retórico

Amigos e vassallos de Dios omnipotent,
si vós me escuchássedes por vuestro consiment,
querríavos contar un buen aveniment:
terrédeslo en cabo por bueno verament.

Yo, maestro Gonçalvo de Verceo nomnado,
yendo en romería caecí en un prado,
verde e bien sencido, de flores bien poblado,
logar cobdiciaduero pora omne cansado.

Davan olor sovejo las flores bien olientes,
refrescavan en omne las caras e las mientes;
manavan cada canto fuentes claras, corrientes,
en verano bien frías, en ivierno calientes.

Avié y grand abondo de buenas arboledas,
milgranos e figueras, peros e mazanedas,
e muchas otras fructas de diversas monedas,
mas non avié ningunas podridas ni azedas.

La verdura del prado, la olor de las flores,
las sombras de los árboles de temprados savores.
refrescáronme todo e perdí los sudores:
podrié vevir el omne con aquellos olores.

Nunca trobé en sieglo logar tan deleitoso,
nin sombra tan temprada ni olor tan sabroso;
descargué mi ropiella por yazer más vicioso,
poséme a la sombra de un árbor fermoso.

Yaziendo a la sombra perdí todos cuidados,
odí sonos de aves, dulces e modulados;
nunca udieron omnes órganos más tremprados,
nin que formar pudiessen sones más acordados.

Unas tenién la quinta e las otras doblavan,
otras tenién el punto, errar no las dexavan;
al posar, al mover, todas se esperavan,
aves torpes nin roncas y non se acostavan.

Non serié organista nin serié vïolero,
nin giga nin salterio nin mano de rotero,
nin estrument nin lengua nin tan claro vocero
cuyo canto valiesse con esto un dinero.

Pero que vos dissiemos todas estas bondades,
non contamos las diezmas, esto bien lo creades,
que avié de noblezas tantas diversidades
que no las contarién prïores ni abbades.

El prado que vos digo avié otra bondat:
por calor nin por frío non perdié su beltat,
siempre estava verde en su entegredat,
non perdié la verdura por nulla tempestat.

Manamano que fui en tierra acostado,
de todo el lazerio fúi luego folgado;
oblidé toda cuita, el lazerio passado,
qui allí se morasse serié bien venturado.

Los omnes e las aves, cuantas acaecién,
levavan de las flores cuantas levar querién;
mas mengua en el prado niguna non facién,
por una que levavan tres e cuatro nazién.

Semeja esti prado egual de Paraíso,
en qui Dios tan grand gracia, tan grant bendición miso;
el que crïó tal cosa maestro fue anviso,
omne que y morasse nuncua perdrié el viso.

El fructo de los árboles era dulz e sabrido,
si don Adam oviesse de tal fructo comido,
de tan mala manera non serié decibido,
nin tomarién tal daño Eva ni so marido.

Señores e amigos, lo que dicho avemos
palavra es oscura, esponerla queremos;
tolgamos la corteza, al meollo entremos,
prendamos lo de dentro, lo de fuera dessemos.

(Gonzalo de Berceo, «Introducción (vv. 1-16)», *Los milagros de Nuestra Señora, OC,* Madrid: Espasa-Calpe, 561-565.)

El texto como comprensión: posesión en una fórmula de acceso

… Nadie posee
lo que no sabe ver. Si das la espalda
a todo un territorio de matices,
¿cómo van a ser tuyas las montañas?
(Aníbal Núñez, *Figura en un Paisaje.*)

El fragmento de Aníbal Núñez sugiere una experiencia estética donde posesión e inteligencia van de la mano: «nadie posee / lo que no sabe ver.» Pero además, este texto invita a la apropiación de un objeto desde el entramado de referencias y llamadas que despliega tras de sí: «Si das la espalda / a todo un territorio de matices, / ¿cómo van a ser tuyas las montañas?» No es tanto aquello que salta a los ojos, cuanto la estructura de relaciones que, en una aproximación o apropiación mucho más de cerca, se convierte en un «territorio de matices». Por ello, la lección consiste en que el objeto se define gracias a esta estructura de relaciones que tiene detrás. Pero, además, posesión indica «saber ver», esto es, desenrollar el proceso que ha llevado a hilvanar una totalidad —«las montañas»—; ésta se tiene entre manos desde aquellos puntos que una inteligencia sensible ha ido tocando. En este sentido, y ahora desde Heidegger, comprender —poseer en este caso— trae como acción simultánea interpretar *(Auslegung),* es decir, poner aparte *(auseinanderlegen)* toda la estructura de relaciones *(Bewandtnis)* que hay detrás del objeto. Precisamente, este ejercicio de comprensión e interpretación definidos por Heidegger se encuentra presente en el fragmento de Aníbal Núñez, donde ambas acciones van de la mano; *comprensión:* «nadie posee» y «¿cómo van a ser tuyas las montañas?»; *interpretación:* «lo que no sabe ver» y «si das la espalda / a todo un territorio de matices».

Un modo para desgranar todo proceso que ha llevado a poseer una totalidad consiste en descubrir cuál ha sido la fórmula de acceso por su territorio de matices o estructura de relaciones. Y si comprensión e interpretación son simultáneas, la experiencia poética llevará en sí impresa de manera consciente esta forma en que cada uno desea manejarse a lo largo y ancho de este territorio o ámbito de relaciones y llamadas. Impresa, vale decir, algo que está dentro, que no es un añadido desde fuera. Se trata, pues, de una forma y un acceso desde dentro, y definidos y significados por el mundo de significación y relaciones de ese dentro: «L'accès fait partie de la signification elle-même» (Levinas, «La signification et le sens», 33).

Así, ya en el texto de los *Milagros,* que será el tema de este estudio, se solicita desde un primer momento una posesión con una entrada al suceso del texto («querríavos contar un buen aveniment») que implica por parte del lector una fórmula de aprehensión: «terrédeslo en cabo por bueno verament.» Para Aníbal Núñez era «*todo* un territorio de matices», lo mismo que para Berceo es ir de «cabo» a rabo; en el texto del poeta salmantino poseer es saber ver, en el del riojano, tener significa para el lector «tener por bueno», es decir, tener y considerar, o lo que es lo mismo, poseer dando la fórmula —«por bueno»—. Y, nuevamente, posesión trae consigo interpretación, pues en la acción de «tener por bueno» se es consciente del esquema o trazado que hay que seguir hasta el «cabo». En esta misma línea, se observa que en las dos primeras estrofas de *San Millán* se perfila una posesión con un saber ver que implica una fórmula de acceso:

> Qui la vida quisiere de sant Millán saber,
> e de la su istoria bien certano seer,
> meta mientes en esto que yo quiero leer:
> verá adó embían los pueblos so aver
>
> Secundo mi creencia, que pese al Pecado,
> en cabo quando fuere leído el dictado,
> aprendrá tales cosas de que será pagado
> de dar las tres meajas no li será pesado.
> (*Vida de San Millán de la Cogolla,* 1 y 2.)

Así, *saber* la historia de San Millán supone poseer con inteligencia —«meta mientes en esto»— y con sentido —«aprendrá»—, hasta el «cabo» de «quanto fuere leído». Y todo en un recorrido de lectura que, a su vez, ofrece una fórmula de acceso, que este caso es la «creencia». Da la impresión de que la fórmula más a mano era «saber» dónde van los dineros del tributo a San Millán, pero en el fondo se busca un escalón más del saber, cual es el de aprender con una compensación o satisfacción final —«aprendrá tales cosas de que será pagado»— para la fe del creyente, la cual es precisamente el ángulo de acceso.

Pero, además, la geografía y la historia de este proceso de apropiación son «las mientes» o una inteligencia que debe ponderar qué es «bueno». Quiere decir que el signo poético tiene su centro de apropiación en la comprensión como lenguaje. Lectura, entonces, equivale a ubicación en un recinto de la experiencia de la comprensión en su forma de lenguaje diseñado por sus propias fórmulas y dimensiones de acceso y recorrido que se despliegan del mismo texto.

Comprensión poética: Lector/lectura/Ser

Queda delimitado el «cómo» de este ámbito de posesión en la precisa fórmula que lo rige y el «dónde» desarrollado en las «mientes». Corresponde ahora, y esto será el principal interés de este ensayo, explorar el funcionamiento de la mente en la forma de comprensión y de lenguaje. Pero no sólo el funcionamiento, sino también el sentido de leer, pues, ¿qué es lo que el lector ve en el texto? Para Montaigne –luego se verá– el texto es un espejo donde mirarse. Lo que lleva a la pregunta: ¿Qué hay del lector en un texto? y, viceversa, ¿qué cosas hay del texto en el lector? Se puede dar una respuesta con la definición ontológica de Lenguaje de Heidegger que será la base de este estudio: expresión del Ser por la palabra. Quiere decir que el radio de acción de la lectura son las «mientes» en el preciso ámbito del Ser donde éste y aquéllas se expresan en la forma de comprensión y lenguaje.

Por tanto, texto es ahora apropiación en el sentido de reconocimiento de algo que está impreso en él y de algo que de él está impreso en el lector, y que es el Ser en general. Y por eso la fórmula de acceso, que ya se ha visto que está en el texto, sería una de las marcas o rasgos de ese reconocimiento. O mejor dicho, tal fórmula es compartida por el texto y el lector. Y, además, ésta queda inscrita en los dos porque ambos comparten –seguimos a Heidegger– el mismo ámbito lingüístico y poético, cual es el recinto del Ser que se expresa en el preciso *hic et nunc* del texto. Queda más claro en esta cita de Montaigne sobre qué es un libro:

> Ce grand monde, que les uns multiplient encore comme especes soubs un genre, c'est le miroüer où il nous faut regarder pour nous connoistre de bon biais. Somme, je veux que ce soit le livre de mon escholier[1].
> (Montaigne, I. 26. 157, *a*)

¿Qué es crear un ángulo o «bon biais» de acceso? En mi opinión, y para desarrollar la definición heideggeriana de Lenguaje, es desplegar y hacer coincidir –incidir mutuamente– un mundo de sentido que es el texto y un mundo de sentido que es el Ser, en una perspectiva o ángulo de manejo que lleva a reconocer, en la forma de apropiación y lenguaje, unas dimensiones mutuas: «regarder pour nous connoistre de bon biais». Pero, al final, no habla el texto ni habla el ser por sí solos, habla la dimensión de lenguaje en el que convergen y divergen. Habla el lenguaje, diría Heidegger. Uno y otro, texto y ser, son la misma cosa, pues los dos están instalados desde una misma diferencia o dimensión, desde un mismo «bon biais». La siguiente cita de Cervantes presenta en términos metafóricos el Lenguaje y la Literatura como una «república» en la cual se ha constituido en el tiempo un mundo de significación y sentido donde hay diferentes fórmulas de acceso. Cervantes alude a un posible texto que sea como «una mesa de trucos» o de billar, es decir, un recinto textual donde hay que desplegar dimensiones y ángulos de manejo en un preciso aquí y ahora. El ejemplo muestra cómo el autor es consciente de que el texto habla, pero sólo desde una dimensión o fórmula de acceso –de comprensión y de lenguaje– que permitiría, ya en mis términos, hacer coincidir Ser y poesía.

> Mi intento ha sido poner en la plaza de nuestra República una mesa de trucos, donde cada uno puede llegar a entretenerse, sin daño de barras; digo sin daño del alma ni del cuerpo, porque los ejercicios honestos y agradables, antes aprovechan que dañan. [...] Horas hay de recreación donde el afligido espíritu descanse.
> (*Novelas ejemplares*, 12.)

Pero todo esto son definiciones muy generales que precisan entrar en vereda desde esta perspectiva de la coincidencia en la apropiación y en la comprensión, que muy bien podría servir para estudiar las propuestas de Berceo de lectura: «terrédeslo en cabo por bueno» (*Milagros*, 1d) y otras. Pero, además, lo que debe quedar claro desde un principio es que en este primer capítulo el análisis va encaminado a estudiar el fenómeno de la comprensión en la Introducción de los *Milagros*. No es tanto la interpretación del texto buscando las peculiaridades del idiolecto de Berceo (esto se hará en el segundo y tercer capítulo), cuanto el análisis de los resortes básicos que plantea Berceo para una lectura y comprensión del texto.

El texto de la creación: primera estrofa de los *Milagros*

Es importante ahora el preciso *hic et nunc* del texto, por lo cual conviene leer con esmero la primera estrofa de *Los milagros de Nuestra Señora*:

> Amigos e vassallos   de Dios omnipotent,
> si vós me escuchássedes   por vuestro consiment,
> querríavos contar   un buen aveniment:
> terrédeslo en cabo   por bueno verament.
> (*Milagros*, 1.)

Primero, una lectura gramatical para trazar la línea lógica del discurso. En primer lugar, un vocativo («amigos e vassallos») y un sujeto (un yo elíptico), después una prótesis («si vós me escuchássedes»); seguidamente dos proposiciones que en el aspecto lógico son tesis, una –a modo de apódosis– del yo elíptico («querríavos contar un buen aveniment»), y otra –a modo de conclusión–, de los oyentes o lectores donde se les solicita una actividad de comprensión («terrédeslo en cabo por bueno verament»). Esta disposición sintáctica está diseñada para encauzar la puesta en acción del discurso y el ejercicio de comprensión que se propone en él. La facticidad de este ejercicio comprensivo se asienta en los núcleos gramaticales de la oración, los verbos, cuyo tiempo, modo, aspecto y significación expresan una acción en proceso que abre una dimensión de posibilidad e intencionalidad: «escuchásedes», «querríavos» y «terrédeslo».

Ya en otro plano más bien narrativo, se establecen las personas que van a participar (autor, lectoras y lectores) y las circunstancias que los y las reúnen: una, la relación ontológica, consistente en el tiempo total que Dios asigna a cada uno por el mero hecho de ser «amigos e vassallos de Dios». Vasallos, pues Dios asigna a cada uno una dimensión que totaliza su vida en la Creación; amigos, pues son todos compañeros en la misma circunstancia de ese siempre ontológico en el que Dios coloca a cada uno. La otra reúne a lectores y lectoras, y se asienta en la relación de estar envueltos en el mismo proyecto concreto del aquí y ahora de la lectura. A esto se suma el hecho específico del poeta que hace evidente en la estrofa siguiente su puesto ontológico y su lugar en el preciso ahora mismo –*hic et nunc*– del poema: «Yo, maestro Gonçalvo de Verceo nomnado» (2a). Uno y otro puesto se relacionan con la creación, el primero, con la Creación en mayúscula o como nombre propio –totalidad ontológica divina que a todos reúne–, el segundo, en minúscula, como creación poética que convoca a lectores y lectoras a leer en la oralidad compartida o en el silencio. En resumen, Berceo maestro es en la Creación –su rango conventual y en el mundo–, y de la creación –literaria–. En pocas palabras, el texto se diseña en una perspectiva medieval cuyas dimensiones son: la del siempre ontológico de Dios y la del aquí y ahora del poema. Lo que quiere decir que la *performance* del texto no consiste sólo en que «la transmission de bouche à oreille *opère* littéralement le texte; elle l'effectue. C'est la performance qui, d'une communication orale, fait un objet poétique». (Zumthor, *La poésie et la voix*, 38). La transmisión es más bien totalizadora, la cual es en el tiempo: totalidad que en el mundo medieval es Dios, y en el mundo moderno –desde Heidegger–, el Lenguaje.

Volviendo a la andadura del texto vemos que, además de establecer personas y relaciones, se declara también el suceso que ocurre: «querríavos contar un buen aveniment.» Esta conclusión es núcleo semántico y sintáctico de toda la oración que ocupa la estrofa, y referencia que alude al núcleo de todo discurso: fundación por la palabra, despliegue a través de ésta de un mundo de sentido con sus propias reglas, que aquí son la narrativa y poética derivadas de «contar». Por tanto, el *aveniment* no sólo consiste en la anécdota de lo que se va a leer, sino que se convierte, por ser el predicado o complemento de «contar», en un suceso o evento poético que ocurre a la comprensión poética de escritor y lector.

A esto se suma el hecho de que en el medio y al final de la estrofa el poeta solicita del lector que ocupe su puesto debido en la creación. Se pide en primer lugar su *consiment,* es decir, el mero favor de escuchar, y se invita al final a la apropiación del discurso –«terrédeslo...»– desde un «buen» ángulo o *puesto* de acceso en la creación –«por bueno».

Para atar todos los cabos, en clave ontológica: la primera estrofa de los Milagros se presenta como un ámbito poético y lingüístico que hay que poner en acción desde el momento en que se despliegan a través de la palabra las coordenadas principales necesarias para manejarse en tal ámbito, llevando éstas a la coincidencia de ser y lenguaje, o en términos medievales, Creación y creación.

Diálectica del deseo: texto como interpelación

La lectura de la estrofa ha llevado a palpar en carne y hueso las consideraciones del principio: leer es un *aveniment* poético que conduce a la apropiación de un ámbito de comprensión donde vienen convocados Ser y Lenguaje, que a su vez coinciden primordialmente en una fórmula de acceso y recorrido en la cual es posible reconocerse mediante la expresión de la palabra. Pero merece la pena ahora concretar en qué modo se produce esta coincidencia entre Ser y Lenguaje, entre lector y texto. Así, la lectura de la primera estrofa remite a un ámbito de apropiación donde el lector queda convocado al *aveniment* poético de los *Milagros* desde un *consiment* o favor que pide de su parte no «dar la espalda» sino perfilar una respuesta creativa pues se trata de «tener por bueno» lo que se ofrece, o de entrar, como diría Aníbal Núñez, en un «territorio de matices». Pero no quisiera confundir esa respuesta del lector con un estado subjetivo que podría ser el contenido de «por bueno». No hay que olvidar que en la definición ontológica de poesía que vengo manejando es el Lenguaje el que habla y pide ser poseído y apropiado, ni dejar de lado la anterior cita de Levinas en la que se solicita un acceso que forma parte de la significación misma. Por tanto, la investigación podría ir encaminada a ver el texto como un lugar de posesión que habla por sí mismo y establece sus propios términos. Por eso, tal posesión se pone ahora en términos sexuales de *jouissance* en el sentido literal de goce sexual, y literario de goce intelectual:

> Un espace de la jouissance est alors créé. Ce n'est pas la "personne" de l'autre qui m'est nécessaire, c'est l'espace: la possibilité d'une dialectique du désir, d'une *imprévision* de la jouissance: que le jeux ne soient pas faits, qu'il y ait un jeu[2].
> (Barthes, *Le plaisir du texte*, 11.)

El espacio textual es visto como un ámbito de dialéctica del deseo y el goce cuyos términos son la posesión. Este espacio es el que llama y el que habla; como también el Lenguaje, ya en mis términos, es el que habla. El texto llama a un *consiment* por parte del lector y éste responde a la llamada, pero es el texto el que surge primero como un *aveniment* lingüístico con su propia dialéctica, que es la del goce, es decir, la de involucrar al lector. La dialéctica barthiana de la *jouissance* lleva, por tanto, a escrutar el espacio textual como un recinto de interpelación e involucración donde el texto se entrega o se da al lector y él o ella se entrega y se da al texto:

> Le texte que vous écrivez doit me donner la preuve *qu'il me désire*. Cette preuve existe: c'est l'écriture. L'écriture est ceci: la science des jouissances du langage, son kamasutra (de cette science, il n'y a pas qu'un traité: l'écriture elle-même)[3] (Barthes, *Le plaisir…*, 14).

La prueba para que un texto –el Lenguaje– hable es la escritura misma vista como una espiral de involucración. Cervantes hablaba de «república» de las letras donde era posible inventar nuevas jugadas o fórmulas en una «mesa de trucos» que es la literatura; pero al final es la propia «mesa de trucos» la que genera la dialéctica del entretenimiento y de la que salen las jugadas. Barthes prefiere hablar de la escritura como el *kamasutra* donde se encuentran viejas y nuevas posiciones de goce originadas también en el texto mismo. Pero lo más importante es que tales espacios y tales jugadas se perfilan desde la interpelación y que sólo desde ella es posible entender por qué el lenguaje habla por sí solo. La interpelación, surgida desde el mismo espacio textual, es, pues, el modo en que Ser y Lenguaje coinciden.

El temple del texto y de la comprensión

Si el texto y el lenguaje interpelan, ¿cómo el lector acude a este espacio dialéctico e involucrador y en qué manera su respuesta queda involucrada en él? Voy a responder a esta pregunta en términos heideggerianos referidos al hecho mismo de comprender: ¿cómo se acerca el ser a las cosas?, ¿en qué consiste la comprensión? El modo de percibir las cosas y de percibirse uno a sí mismo no se hace desde un estado aséptico sino desde una actitud previa o *Befindlichkeit,* temple o disposición envolvente (*SuZ,* §29) que perfila desde un primer momento las significaciones pues crea un ámbito de encuentro en que son bien o mal recibidas. La *Befindlichkeit* consiste en que el acercamiento a algo lleva en sí un primer estado de reacción que atempera todo conocimiento y crea los términos previos en que las cosas son encontradas.

El texto de Berceo pide un «buen» recibimiento del *aveniment* y solicita un encuentro en que todo sea comprendido desde un temple positivo –«terrédeslo por bueno»–. En este sentido, la *jouissance* también supone la posesión de un espacio textual que es un lugar de encuentro cuyas involucraciones y llamadas se despliegan desde un estado de respuesta que viene atemperado por una disposición previa positiva de goce y de entrega.

Todo esto lleva a pensar que la verdadera facticidad de un texto está en ese primer encuentro que llama a autor y lector a co-incidir en el temple y mundo que el texto erige y despliega. La comprensión en la forma de una disposición básica, sea positiva o de *jouissance,* sea negativa o de rechazo, es la manera primordial de encontrar o encontrarse en ese recinto de respuesta que es el texto. Y por eso, el espacio textual es un lugar de encuentro donde sus significaciones son colocadas desde el momento en que son bien o mal recibidas, bien o mal encontradas, bien o mal avenidas. El texto es un encontrarse que no se presenta en estado neutro, encontrarse es un «me encuentro bien» o «me encuentro mal», pero nunca un «me encuentro», y es un tener «por bueno» o un tener a mal, pero no es sólo tener. Este asunto precisará de mayor dedicación y de buenos ejemplos. Sirva esta pregunta como avance: ¿acaso no hay en «amigos e vassallos de Dios» –primeras palabras de la obra, primera reacción– un determinado temple que interpela a lectores y lectoras, y los llama a coincidir en ese espacio de oralidad o silencio desde una actitud previa que va a perfilar el discurso?

En resumidas cuentas: hasta ahora se ha estudiado el poder dialéctico e involucrador de un texto (Barthes) y la facticidad del texto entendido como un ámbito de encuentro donde la comprensión actúa desde un temple o estado previo (Heidegger).

Conviene resumir lo anteriormente expuesto. Leer es poseer un ámbito de comprensión. En ese ámbito (significado) coinciden autor, texto y lector, invitados y condicionados por el texto (significante). Tal coincidencia se realiza en diferentes aspectos: uno, a través del lenguaje que es la diferencia o dimensión desde la que el texto habla, y en la que texto y lector están instalados; y dos, a modo de encuentro donde el texto establece su propia dialéctica de interpelación: el lector acude a la llamada del texto desde una comprensión que en ningún modo es aséptica sino que se acerca a las significaciones desde un temple o estado previo que perfila todo el encuentro.

Logos=comprensión: el texto como espejo en enigma de Dios

Toca ahora estudiar cómo se entendían en la época de Berceo la comprensión y el lenguaje. Se elegirán como tema e hipótesis de reconstrucción las teorías del conocimiento de Agustín. Para Agustín de Hipona la palabra tiene su lugar de proyección y de encuentro en la conciencia humana *(scientia)*[4], que a su vez está hecha a imagen y semejanza de la divina o *Sapientia:*

> Tenemos que ir entonces a aquel verbo del hombre, a aquel verbo de un ser dotado de alma racional, a aquel verbo imagen de Dios –imagen no nacida de Dios, sino creada por Dios–, verbo que ni siquiera está proferido en un sonido, ni pensado en la forma de un sonido –que podría pertenecer a una lengua

determinada–, sino que es anterior a todos los signos por los que viene significado, y que surge de una conciencia (scientia) que tiene su lugar inmanente en el alma, cuando esta misma conciencia se expresa en una palabra interior, tal y como es. En efecto la visión del pensamiento es del todo parecida a la visión de la conciencia.
(*Trin.* XV, 11, 20)[5].

El signo lingüístico se manifiesta como un hecho de conciencia (*scientia*), es decir, el tejido objetivo del signo lingüístico tiene su lugar de encuentro y ocupación en la conciencia del que lo comprende («gignitur de scientia quae manet in animo»). La *scientia,* a su vez, está hecha a imagen y semejanza de la Conciencia o *Sapientia* divina.

Tal signo o verbo desde ojos contemporáneos es primera diferencia ontológica del Ser; desde ojos medievales, participación a modo de enigma y semejanza del Verbo de Dios. Agustín lo que hace es una exégesis de la frase 1Cor 13, 12: «Videmus nunc per speculum in aenigmate.»[6] Y esta participación hace que, en el momento de comprender la palabra, se despliegue una verdad cristocéntrica –el Verbo de Dios hecho carne–, esto es, una *Sapientia* que ya está instalada o que ocupa el interior de la conciencia:

> Comprendemos toda la multitud de cosas no consultando la voz que suena en el exterior, sino consultando la verdad que preside nuestra alma, las palabras más bien nos inducen a consultar. Aquello que es consultado, que enseña, que habita en el interior del hombre se llama Cristo, o lo que es lo mismo, la inconmutable virtud de Dios y su eterna Sabiduría, la cual consulta toda alma racional. La Sabiduría se despliega (panditur) en cada alma tanto cuanto ésta es capaz de comprehender, en proporción a su buena o mala voluntad.
> (*Mag.* XI, 38)[7].

El signo lingüístico, entonces, consiste en desdoblar una página que ya está inscrita a imagen y semejanza de Dios en el interior de la mente, y en desplegar («pandente»), por tanto, una realidad de conciencia que es Dios: «docetur enim non verbis meis, sed ipsis rebus Deus intus pandente, manifestis» (Mag. XII, 40). Por otra parte, la manera de desplegar tal verbo se hace desde una sede racional –el alma– donde se combinan la multitud de cosas («de universis») con la verdad que reina en el interior y en el ser («praesidentem veritatem»: Cristo). En estos términos, la verdad se manifiesta a modo de *adaequatio:* ejercicio razonado, logos, palabra, donde se aplican los universales a situaciones concretas dentro de una sede racional hecha a imagen imperfecta de la divina. Logos, en Agustín, es la dimensión racional de la conciencia. Hablar significa, entonces, desplegar a través de la inteligencia y de la razón aquellas cosas que vemos están presentes en el interior como una verdad de conciencia. En este sentido Heidegger y Agustín coinciden, para uno y otro es el lenguaje el que habla, si bien para el primero éste es primera diferencia ontológica, y para el segundo las diferencias surgen de la verdad divina y se sostienen en ellas:

> cuando en verdad se trata de lo que percibimos con la mente, esto es, con el entendimiento y la razón, entonces hablamos lo que contemplamos que está presente en la luz interior de la verdad, con la cual es iluminado y goza el hombre que llamamos interior
> (*Mag.* XII, 40)[8].

Así las cosas, esta operación de lenguaje interior puede servir de horizonte mental para leer la propuesta berceana de «terrédeslo en cabo por bueno verament». Interpretamos «terrédeslo por bueno» como una operación mental de entendimiento y razón combinados para llevar a «cabo» en la lectura, que es comprensión, y de forma fehaciente («verament»), la experiencia de la apropiación de la palabra, manifestada esta última como un hecho de conciencia y como toda la realidad de la que se puede disfrutar. Con ello, el tejido objetivo del signo lingüístico y poético no es algo ajeno que viene de fuera, sino algo que nos llama desde fuera a la unidad de su fuente. Por ello, la verdad que Berceo pide en el «verament» muy bien podría ser la dimensión que ocupa la conciencia como logos, esto es, ejercicio racional y lingüístico que a su vez es dimensión o primera diferencia ontológica del hombre con respecto a una dimensión más amplia, la divina, de la que es espejo y enigma.

Pero además el texto citado permite individuar el sentido que adquiere la *jouissance* («fruimur») en Agustín, y desde este horizonte en la frase de Berceo «terrédeslo en cabo por bueno verament». Para Agustín, poseer la verdad significa dejarse conducir sabiamente o racionalmente por la palabra en forma de logos o ejercicio de comprensión. Las palabras, en defintiva, inducen a consultar («verbis fortasse ut consulamus admoniti») el dictado divino. En el verbo «terrédeslo» se solicita también un ejercicio de posesión de la palabra que exige discurrir por una fenomenología de la comprensión («en cabo»), es decir, que solicita del lector dejarse llevar sabiamente por el verbo para poder escrutar lo «bueno», y poder disfrutarlo y poseerlo en tanto que este último es imagen y semejanza, aunque imperfecta, del dictado divino. Al fin y al cabo el propósito de Agustín Hipona coincide con el lema de Aníbal Núñez que encabezaba este estudio: «Nadie posee / lo que no sabe ver.»

El texto de la idoneidad

Todavía faltan por comprender algunos aspectos más de la teoría agustiniana del signo que, en mi opinión, tienen mucho que ver con el planteamiento de texto como interpelación, planteamiento, además, subyacente en la estrofa de Berceo. El recinto de interpelación era un lugar que ocupa la comprensión en la medida en que ésta se deja involucrar por las llamadas del texto poético. Así, para Barthes el texto debe llevar la prueba de que me desea, es decir, de que se quiere dejar poseer por la comprensión. En el verso «terrédeslo en cabo por bueno verament» se pide del lector que despliegue estas pruebas que el texto le irá dando; «tener por bueno» implica ir desenrollando paso a paso todas las involucraciones.

Por ello, partiendo de horizontes agustinianos se puede interpretar esta involucración o interpelación desde el punto de vista de la «idoneidad». Para Agustín de Hipona la comprensión del texto tiene como condición el poner a prueba y el dar pruebas de la «idoneidad» para comprender o poner en marcha el logos o discurso interior. Las palabras no son importantes por su valor representativo, no muestran o enseñan; lo central de la palabra es su valor de interpelación o de involucración porque pone en acción y a prueba tu propia idoneidad para comprender y así producir el logos o discurso interior:

> A donde si es llevado por las palabras del que pregunta, es llevado no porque le enseñen las palabras, sino porque éstas indagan según el modo en que el que pregunta es idóneo, es apto para aprender desde dentro la luz interior.
> (*Mag.* XII, 40)[9].

(En este texto se refleja el platónico «aprender es recordar». El que pregunta es invitado a descubrir por sí mismo.) Así pues, el discurso pone a prueba la idoneidad y la capacidad de respuesta para desplegar la *Sapienta* divina desde la posición de imagen y semejanza. Quiere decir que la idoneidad consiste en «la aptitud de tus fuerzas para oír a aquel Maestro que está dentro de ti» («ut tuae sese vires habent ad audiendum illum intus magistrum», Mag. XII, 40).

Ahora bien, hay que apuntar que tal recinto de interpelación no se lleva desde un modo aséptico y exclusivamente con la razón, pues la palabra se constituye a través de un ejercicio razonado (logos), es decir, una combinación de entendimiento (razón+juicio) y voluntad (dominada por la razón), que han de guiar esa idoneidad para llevar a cabo el discurso. Quiere decir que si entra en juego la voluntad, la razón es ya una razón atemperada; por consiguiente, nunca aséptica.

Así las cosas, queda en pie todo lo visto hasta ahora sobre texto como interpelación y lugar que involucra en diferentes maneras: el texto desea y posee (Barthes) a los lectores y las lectoras, los interroga en cuanto a su idoneidad (Agustín: «interrogat»), en definitiva, los instala en una dimensión o diferencia ontológica que es la lengua (Heidegger).

De nuevo en la primera estrofa: la puesta en acción del aveniment poético

Pero es hora de volver la mirada hacia el texto que ocupa este estudio y concretamente a la frase «querríavos contar un buen aveniment». *Aveniment* se presenta ya no sólo en el sentido de 'percance' o 'suceso', es decir, como hecho que ocurre, sino que, al depender de «contar», se ofrece como narración, esto es, como resultado de un operación mental de lenguaje, o más bien como un hacer poético *(poieo)*, en definitiva, un *aveniment* poético. Ahora bien, antes conviene aclarar el valor léxico de *aveniment* para indagar en esta combinación y para encontrar más significaciones. María Moliner ofrece las siguientes definiciones:

> *avenimiento.* Acción de avenir-[se]. Con «buen» o «mal», situación de bien o mal avenido. Advenimiento. Caso o suceso. Avenida de aguas.

> *avenir.* lat. *advenire.* Concurrir o juntarse varias cosas. suceder. reconciliar. avenirse. Acomodarse. Ponerse de acuerdo. Vivir en armonía con alguien. Acomodarse a cierta o a ciertas condiciones.

De todos los significados el que no cuadra en el texto es «avenida de aguas», bien es verdad que estamos en un prado. Desde la virtualidad poética de la lectura, las significaciones de 'juntarse' y 'ponerse de acuerdo' cobran sentido pues *aveniment* abre un espacio de comprensión donde «concurren» el Ser y las cosas, en la manera de *ocupación* mental o en la forma de posesión o *jouissance.* Por eso, *aveniment* sería el lugar de encuentro o el preciso ámbito lingüístico y poético donde el ser despliega horizontes de comprensión. Desplegar horizontes supone el «avenirse» de la mente en estado de comprensión con los puntos o tentáculos de involucración que el *aveniment* ofrece como referente. Esos puntos de involucración son gestos verbales donde significado y significante imbricados abren diferentes combinaciones: sintácticas, semánticas, semiológicas, sensitivas, métricas, culturales, sexuales, retóricas, religiosas, etc. En este sentido, el verso «terrédeslo en cabo por bueno verament» desarrolla este proceso de comprensión e invita a realizarlo, donde «buen» y «por bueno» presentan toda esta fenomenología de la involucración.

Quiere decir que tal comprensión, presentada en el texto en forma de evento lingüístico, puede ser entendida como la *scientia* o conciencia de Agustín, o como una «dialectique du désir» de Barthes. Lo importante es que tal ocupación mental –*scientia, désir*– de los «amigos e vassallos» es una *poiesis* que se presenta como un evento que ocurre a todos y cada uno. La realidad, por tanto, que cabe conceptualizar y «hacer» poéticamente es el lenguaje que habla por sí mismo en el modo de un *aveniment* poético presentado como un suceso que ocurre en el preciso *hic et nunc* de la lectura. Esta última sería la definición más básica de poesía, pues en poesía lo que ocurre y se celebra es el lenguaje mismo.

«Buen» es un gesto verbal

Ahora bien, situadas la comprensión y la palabra en un lugar o topos de encuentro donde se mueve una espiral de involucración, hay que preguntarse ahora sobre cuáles son los puntos involucradores por lo que se desarrolla todo ejercicio de conceptualización y comprensión. Así, la naturaleza léxico-semántica de la palabra «aveniment» se puede configurar como una dimensión neutral, o en otras palabras, una estructura de sentido cuya fenomenología se despliega o entra en acción cuando se le adjunta un adjetivo. Quiero decir que «aveniment» puede pasar a ser un sustantivo que cobra sentido y se sustantiva por medio de un adjetivo; se trataría de una palabra del tipo «buena/mala suerte», «buen humor o mal humor», «buen o mal talante». Por ello, «buen», ya en el sintagma de los versos de Berceo, forma un gesto verbal, que marca positivamente la neutralidad sustancial de «aveniment» e inicia, en consecuencia, un ejercicio de conceptualización que se orienta hacia un sentido positivo: «buen aveniment». Este rasgo positivo abre un lugar de encuentro e involucración donde se inicia la ocupación mental del lenguaje, es decir, un proceso donde la comprensión se despliega en un sentido positivo pues viene atemperada por «buen». Con ello la actividad de comprensión pasa de ser una ocupación neutral a ser una ocupación atemperada por significaciones. Y más abajo, tal actividad atemperada viene solicitada por el poeta mediante el rasgo de «por bueno» de «terrédeslo en cabo por bueno verament».

Ahora bien, ¿qué es una comprensión atemperada por significaciones?, y ¿qué se entiende por lugar de encuentro? Ya hemos visto, con Heidegger, que la comprensión no se presenta en estado de puro conocimiento, como así se venía planteando hasta Heidegger en la filosofía occidental; al menos en el modo popular de entenderla. Baste recordar que Agustín, a pesar de aceptar un camino con «sive malam sive bonam voluntatem», concibe la comprensión como la suma de entendimiento y razón: «cum vero de iis agitur quae mente conspicimus, id est intellectu atque ratione» *(Mag.* cit.). Por contra, en términos heideggerianos, la comprensión se articula como una *Befindlichkeit,* es decir, como un estado de *encontrarse* a sí mismo en la forma de un temple o reacción ante las cosas. Ahora bien, tal encontrarse sólo se hace en la forma de un encontrarse en un estado de ánimo, en un temple o actitud primera ante las cosas y ante mí mismo.

Traducido todo esto a términos concretos del poema de Berceo, «un buen aveniment» sería un espacio de significación al que en ningún modo se adviene o se acude en un estado de puro conocimiento, sino en la forma de un encontrarse bien. *Aveniment* en el paradigma era un lugar neutro de encuentro de las significaciones; en el sintagma de Berceo, como «buen aveniment», es un evento poético al que se acude, como consigna Moliner en el aspecto léxico, desde una «situación de bien o mal avenido». En resumen, el gesto verbal de «buen» se presenta como un punto de involucración de la comprensión que acude a la fenomenología del *aveniment* desde una actitud positiva de significación que en términos barthianos vendría definida como la *jouissance.*

Ahora bien, tal entramado de significación de «buen aveniment» puede ser traducido en los términos concretos de una dimensión cristiano-medieval.

Baste recordar que el poema empieza invocando una disposición positiva: «amigos e vassallos». Si he utilizado la expresión de *aveniment* como lugar de encuentro –un *topos*–, es porque esta disposición de apertura se entiende como un modo de encontrar y de encontrarse en las significaciones. Así, este primer estado del «buen aveniment» permite al «maestro Gonçalvo» instalar a sus «amigos» y «vassallos» de Dios en un lugar de encuentro que es un proyecto de significación y lenguaje. Y por ello, para los que se consideran más amigos que vasallos, el *aveniment* en tanto que proyecto lingüístico les instala en una diferencia existencial pues el lenguaje es la dimensión o diferencia más básica del Ser. Para aquellos que se consideran «vassallos», el *aveniment* es un *logos* que se proyecta como diferencia o dimensión a modo de espejo en enigma de Dios. En definitiva, Berceo ofrece a lectores y lectoras de su preciso *hic et nunc* medieval un lugar de encuentro o *aveniment* donde acomodarse positivamente en un todo («omni-») que se me manifiesta como proyecto «de Dios», y por Él gobernado («-potent»).

Así las cosas, la forma de acomodarse se hace mediante un temple o actitud básica ante las cosas, que se traduce o en términos religiosos o en la *jouissance* moderna; pero ambos constituyen un modo de percibir las cosas y los significados y son una antesala de todo conocimiento. Un ejemplo todavía más concreto, el logos de Berceo y el *aveniment,* situado en su dimensión ontológica de espejo y enigma, es el nombre del Padre que con su bendición atempera la comprensión:

> En el nomne del Padre, que fiço toda cosa
> e de don Ihesu Christo, fijo de la Gloriosa,
> e del Spíritu Sancto, que egual dellos posa,
> de un confessor sancto quiero fer una prosa.
> (*Santo Domingo de Silos*, 1.)

> En el nomne precioso del Rey omnipotent,
> que faze sol e luna nacer en orïent,
> quiero fer la passión de señor sant Laurent,
> en romanz, que la pueda saber toda la gent.
> (*Martirio de San Lorenzo*, 1.)

> Señores e amigos, por Dios e caridat,
> oíd otro miraclo, fermoso por verdat.
> (*Milagros,* 182.)

Captatio benevolentiæ: espacio retórico del *aveniment*

Desde un enfoque metafórico y sexual a la vez el *aveniment* se presentaba como un ejercicio lingüístico y poético de ocupación mental articulado por una «dialectique du désir». Esta última venía interpretada como un juego de interpelación donde las palabras llaman a ser poseídas por la comprensión que se mueve impulsada en una actitud positiva de goce o *jouissance*. Voy a estudiar ahora este ejercicio dialéctico de interpelación de la primera estrofa en su portada retórica. En este sentido, para Aristóteles –primera frase de *Retórica*– «la retórica es una *antístrofa* de la dialéctica» (I,1.1); *antístrophos* en el sentido de 'análoga, correspondiente, correlativa'. Quiere decir, que el ejercicio de interpelación del *aveniment* tiene como reverso una actividad persuasiva que trata de implicar e involucrar la comprensión en un ámbito poético. Así, desde un punto de vista barthiano, el *aveniment* aparecería como un «tratado o *Kamasutra*» de la seducción; ahora, desde una óptica aristotélica, se presenta como «la facultad de teorizar lo que es adecuado en cada caso para convencer» (Aristóteles: *Ret.* I, 2.1).

Y así, una vez aclarada esta dialéctica, es más fácil entender la primera estrofa de los *Milagros* como el desarrollo de una *captatio benevolentiæ*, que no es un *topos* retórico vacío, sino que es el *lugar* de encuentro en el sentido que le hemos venido dando: lugar donde el ser en la forma de comprensión se implica y se imbrica con las significaciones desde una actitud o temple previo que las encuentra bien o mal. Además este *topos* o lugar de encuentro se genera a través de la palabra, que, como ya he señalado, es una de las más básicas manifestaciones de la diferencia ontológica. Lo que quiere decir que cualquier manifestación retórica no es un mero juego catalogado en las retóricas al uso, sino que ha de entenderse como una forma de comprensión y lenguaje que afecta al ser desde muy dentro. En este sentido Heidegger reivindica que la *Retórica* de Aristóteles es ya «la primera hermenéutica sistemática de la cotidianidad del Ser, en tanto que ser uno con otro» *(SuZ,* § 29).

Esto lleva a aclarar cómo se presenta esta estructura retórica de la *captatio* en Aristóteles. Para el Estagirita los recursos afectivos, donde podríamos emplazar la *captatio benevolentiæ,* forman parte constitutiva del razonamiento retórico: «puesto que la retórica tiene por objeto formar un juicio [...], resulta así necesario atender, a los efectos del discurso, no sólo a que sea demostrativo y digno de crédito, sino también a cómo ha de presentarse uno mismo y a cómo inclinará a su favor al que juzga» (Aristóteles, *Ret.* §1377b). Lo que motiva a hacer tres distinciones: el *ethos* o hábito moral –carácter del orador– y el *pathos* o disposición de los oyentes son elementos constituivos para formar un juicio *(héneka kriseos),* entendido éste como pensar con razonamientos *(krinein)* o usar el entendimiento[10] para crear el logos. Por ello, *ethos, pathos* y *logos* (discurso lógico) constituyen todo razonamiento retórico en Aristóteles.

Y como ambas posturas, aristotélica y heideggeriana, van de la mano, esto hace posible entender la *captatio benevolentiæ* de las invitaciones de Berceo a «escuchar por vuestro consiment», a comprender el discurso a modo de conciencia en «terrédeslo en cabo por bueno verament», y a instalarse en forma de *jouissance* o actitud básica de posesión de la palabra, como la manifestación de un *pathos,* y *ethos* por lo que toca al «maestro Gonçalvo», que son elementos constituivos del signo del *aveniment*. La *captatio* es pues una llamada a la conciencia retórica, pero en su valor ontológico: ¿qué tiene que ver mi ser en la forma de un *ethos* o de *pathos* en la precisa encrucijada de comprensión y de lenguaje —*logos*— del *aveniment* poético?

Pero tampoco conviene olvidar que la manifestación mediante un *ethos* y un *pathos* es la comprobación más clara de que toda comprensión está atemperada por una actitud previa o *Befindlichkeit* que crea las bases del encuentro. La *captatio* es *bene-volentiæ*, esto es, entrada en el *aveniment* desde una voluntad positiva que va a perfilar todas las significaciones del «buen aveniment». Es decir, que esta voluntad positiva del *pathos* y del *ethos* no es algo pasivo que «da la espalda» (Aníbal Núñez) a las significaciones, es más bien una resposabilidad de construir todos los «matices» (Aníbal Núñez), de ahí la solicitud final: «terrédeslo en cabo *por bueno* verament».

Captatio: «sive malam sive bonam voluntatem»

Desde un horizonte medieval la interpelación, y en concreto la *captatio*, se traducen en un *pathos* de inclinación religiosa. La *jouissance* medieval se traduciría como el gozo en la palabra no en su materialidad sino en toda la realidad que es el «verbo de Dios hecho carne» y que articula la *scientia* o conciencia en la forma de comprensión. Quiere decir que en los *Milagros* la *jouissance* viene marcada por un temple o *benevolentia* que celebra la realidad María como un *buen aveniment* poético. No es extraño entonces que el marco retórico sea «gozos de la Virgen».

Una vez aclarado el sentido básico y retórico de la *captatio*, conviene preguntarse ahora qué función tiene la *captatio benevolentiæ* religiosa en la articulación del signo lingüístico, particularmente el del *aveniment*. Si lo ponemos en términos agustinianos, la *benevolentia* se articularía «sive malam sive bonam voluntatem» y poniendo a prueba la propia idoneidad de cada uno para escuchar al Maestro divino que ha instalado en su conciencia el *Verbum* que permite comprender las cosas. En consecuencia, la *captatio benevolentiæ* sería una llamada a articular el *Verbum*. Tal articulación, según Agustín de Hipona, se hace a través de la tríada memoria-inteligencia-voluntad o amor. La memoria (tesoro del conocimiento a modo de *scientia)* es activada por el pensamiento *(cogitatio)* que se dirige a ella por medio de la voluntad o amor. Más concretamente, la *scientia* o conciencia se compone de memoria que contiene las realidades inteligibles («qua res intelligibiles ita continentur»), inteligencia donde se articula el verbo por efecto o intención del pensamiento (cuando decimos aquello que sabemos o tenemos inscrito en la conciencia: «qua per intentionem cogitationis inde formatur, quando quod scitur dicitur») y amor que, procedente de la conciencia («de scientia procedens»), se encarga de unir memoria e inteligencia («memoriam intelligentiamque coniungens», *Trin.* XV, 24, 44).

Por lo que respecta a Berceo, la *captatio benevolentiæ* quedaría en una llamada a encontrarse en la encrucijada lingüística y poética del *buen aveniment* realizada en un temple o disposición básica de oración; tomada esta última en su sentido más literal y ontológico: articular el verbo, o lo que es lo mismo, encuentro y encontrarse —*Befindlichkeit*— con Dios. Así entendida, la *captatio benevolentiæ* traería consigo la demarcación de un espacio retórico y discursivo que supone la captación de la voluntad en el sentido de amor o *caritas,* única instancia ontológica que, lo mismo que la *jouissance* moderna, da facticidad al discurso poético. Tal espacio discursivo solicitado en «terrédeslo en cabo por bueno verament», supone, en definitiva, la captación de la voluntad o amor para que aúne inteligencia («terrédeslo») y memoria («por bueno»). Por tanto: *jouissance* o actitud básica de «caridat» como llamada a la oración, encuentro y encontrarse en el verbo de Dios que es el fondo y la forma de la conciencia.

Y desde esta vía de la *caridat,* se podrían leer las *captationes benevolentiæ* presentes en la obra de Berceo: «Señores e amigos, por Dios e caridat, / oíd otro miraclo, fermoso por verdat» (M, 182), «En el nombre precioso del Rey omnipotent, […] quiero fer la passión de señor sant Laurent» (L, 1); véase también la primera estrofa («En el nombre del Padre, que fiço toda cosa») de *Santo Domingo de Silos;* en esta primera cuaderna, desde un horizonte agustiniano, se presenta como la acotación del espacio retórico del «nombre», o verbo divino que actuará en forma de conciencia en el discurso que sigue a la estrofa. La estructura ontológica de este nombre estaría compuesta de una trinidad consistente en memoria-inteligencia-voluntad que es espejo en enigma de la Trinidad divina[11]. Por tanto, y desde este horizonte, el verbo berceano, en el sentido de oración, se presenta como si llevara impresa como en enigma la Trinidad, única instancia ontológica a la que se refiere el verbo humano a modo de imagen y semejanza. Y dicho verbo se genera desde un espejo imperfecto (Videmus *per speculum)* y en la forma de enigma (1 Cor 13, 12) que es la comprensión en el modo de conciencia *(scientia).* Comprender, ver en términos agustinianos, significa reproducir en enigma y a modo de conjetura imperfecta la estructura última de sentido que es Dios en la forma de *Sapientia*[12].

Conclusión

La primera estrofa de los *Milagros* es una propuesta del autor para perfilar el encuentro poético que convoca a lectoras y lectores a un preciso *hic et nunc* de lectura, sea en la oralidad del poeta que lee a sus amigos, sea en el silencio de una lectura actual o antigua. Este encuentro poético se define con el rasgo constitutivo del *aveniment* o hecho poético que ocurre al lector y al poeta en la forma de una comprensión que está atemperada por una actitud positiva para poseer las significaciones. Tal actitud de acercamiento es vista desde puntos de vista diferentes. Como *jouissance* o deseo de poseer la palabra entendida como un ámbito dialéctico donde el lector es interpelado continuamente. Como temple o modo previo de encuentro que permite perfilar todas las significaciones desde un actitud positiva o negativa, aquí la de estar «bien avenido» con las palabras. Como *scientia* que es la comprensión en forma de conciencia donde de antemano hay una palabra o logos divino –*Sapientia*– que permite articular cualquier hecho poético como una realidad que traduce en enigma y en repetición imperfecta algo sobrenatural. Y por último, como *bene-volentia* o actitud persuasiva y persuadida que acude a la palabra desde un *ethos* y un *pathos* para construir las significaciones desde una inclinación previa.

NOTAS

[1] «Este gran mundo, que unos multiplican todavía como especies sobre un género, es el espejo donde nos conviene mirar para conocernos desde un buen ángulo. Así quiero que sea el libro de mi escolar.» (Traducción mía.)

[2] «Se crea entonces un espacio de goce. No es la «persona» del otro lo que necesito, es el espacio: la posibilidad de una dialéctica del deseo, de una imprevisión del goce: que las cartas no estén echadas sino que haya juego todavía.» Trad. de Nicolás Rosa: Barthes, *El placer del texto,* Buenos Aires, Siglo XXI, 1974, 11.

[3] «El texto que usted escribe debe probarme que me desea. Esa prueba existe: es la escritura. La escritura es esto: la ciencia de los goces del lenguaje, su kamasutra (de esta ciencia no hay más que un tratado: la escritura misma).» Trad. de Nicolás Rosa, 12 y 13.

[4] «Necesse est enim cum verum loquimur, id est, quod scimus loquimur, ex ipsa scientia quam memoria tenemus, nascatur verbum quod eiusmodi sit omnino, cuiusmodi est illa scientia de qua nascitur» (*Trin.* XV, 10, 19): 'Así cuando decimos la verdad, es decir, aquello que sabemos, es necesario que nazca de la conciencia (scientia) que conservamos en nuestra memoria un verbo que sea totalmente de la misma especie de la conciencia de la cual nace.'

[5] «Perveniendum est ergo ad illud verbum hominis, ad verbum rationale animantis, ad verbum non de Deo natae, sed a Deo factae imaginis Dei, quod neque prolativum est in sono, neque cogitativum in similitudine soni, quod alicuius linguae esse necesse sit, sed quod omnia quibus significatur signa praecedit, et gignitur de scientia quae manet in animo, quando eadem scientia intus dicitur, sicuti est. Similis est enim visio cogitationis, visioni scientiae» (*Trin.* XV, 11, 20).

[6] «Sed transeunda sunt haec, ut ad illud perveniatur hominis verbum, per cuius qualecumque similitudinem sicut in enigmate videatur utcumque Dei Verbum» (*Trin.* XV, 11, 20).

[7] «De universis autem quae intelligimus non loquentem qui personat foris, sed intus ipsi menti praesidentem consulimus veritatem, verbis fortasse ut consulamus admoniti. Ille autem qui consulitur, docet, qui in interiore homine habitare dictus est Christus, id est incommutabilis Dei Virtus atque Sempiterna Sapientia, quam quidem omnis rationalis anima consulit; sed tantum cuique panditur, quantum capere propter propriam, sive malam sive bonam voluntatem potest» (*Mag.* XI, 38).

[8] «cum vero de iis agitur quae mente conspicimus, id est intellectu atque ratione, ea quidem loquitur quae presentia contuemur in illa interiore luce veritatis quae ipse qui dicitur homo interior, illustramur et fruimur» (*Mag.* XII, 40).

[9] «quo si verbis perducitur eius qui interrogat, non tamen docentibus verbis, sed eo modo inquirentibus, quo modo est ille a quo quaeritur, intus discere idoneus» (*Mag.* XII, 40).

[10] Así para el traductor Quintín Racionero: «Los recursos afectivos no son independientes del *razonamiento retórico,* ni pueden considerarse como elementos sólo auxiliares y secundarios de la persuasión. Tales recursos, antes bien, constituyen enunciados de la argumentación retórica [...]; operan en cuanto que son mediados en la estructura del juicio», Aristóteles, *Retórica,* II, §1377b, p. 308, n. 4.

[11] «Ego enim memini per memoriam, intellego per intelligentiam, amo per amorem. Et quando ad memoriam meam aciem cogitationis adverto, ac sic in corde meo dico quod scio, verbumque verum: 'Pues yo recuerdo mediante la memoria, pienso mediante la ingeligencia, amo mediante el amor. Y cuando dirijo la fuerza del pensamiento hacia mi propia memoria, de modo que en mi corazón digo aquello que conozco y surge de la conciencia una palabra verdadera, ambas son mías: la conciencia y la palabra' de scientia gignitur, utrumque meum est, et scientia utique et verbum» (*Trin.* XV, 22, 42).

[12] «et maxime per rationalem vel intellectualem creaturam, quae facta est *ad imaginem Dei,* per quod velut speculum, quantum possent, si possent, cernerent Trinitatem Deum, in nostra memoria, intelligentia, voluntate. Quae tria in sua mente naturalites divinitus instituta quisquis vivaciter perspicit...» (*Trin.* XV, 20, 39): '[he hecho particular mención] a la criatura racional e inteligente, que ha sido creada a imagen de Dios, para hacerles ver, como en un espejo, por cuanto pueden, si pueden, el Dios en forma de Trinidad en nuestra memoria, inteligencia y voluntad. Cualquiera, con intuición viva, ve que estas tres potencias, constituyen la estructura natural de su espíritu'.

«*Per* quod tamen *speculum* et *in* quo *aenigmate* qui vident, sicut in hac vita videre concessum est, non illi sunt qui ea quae digessimus et commendavimus in sua mente conscipiunt; sed illi qui eam tamquam imaginem vident, ut possint ad eum cuius imago est, quomodocumque referre quod vident, et *per imaginem* quam conspiciendo vident, etiam illud videre coniciendo, quoniam nondum possunt *facie ad faciem*» (*Trin.* XV, 23, 44): 'Sin embargo, aquellos que ven a través de este espejo y en este enigma, como nos es concedido ver en esta vida, no son aquellos que perciben en su espíritu estas tres potencias que hemos indicado en nuestro análisis; sino que se trata de aquellos que ven su espíritu como imagen, de tal forma que pueden referir del modo que sea lo que ven a aquel cuyo espíritu es imagen, y que, a través de la *imagen* que ven contemplando, pueden verlo (a Dios) por conjetura, porque todavía no pueden verlo cara a cara'.

II

Consiment o estructura de la deferencia

La invitación de la primera estrofa consiste en participar en un *aveniment* poético cuya dimensión es la que traza la comprensión en diferentes formas que han venido comentadas: temple, espacio retórico de captación, *scientia* humana y *Sapientia* divina, dialéctica del deseo y de la *jouissance*, interpelación. Todas éstas eran formas donde el ser se implica con la palabra en una dimensión compartida que es el texto como *poiesis*. Tal dimensión de lenguaje se constituía como una forma básica y fundamental de proyectarse en el mundo. Si hay que hablar de una aportación por parte del poeta, pienso que sin duda es la de ofrecer dimensiones lingüísticas donde acomodarse, sea en la forma de *jouissance,* sea en el modo de oración, sea en lo más puramente estilístico o retórico. Pero, sobre todo, son dimensiones donde expresarse en la palabra, que, al ser expresión primordial de la diferencia ontológica, permite a lectoras y lectores medir un mundo de sentido en cuyas coordenadas están insertos.

Corresponde ahora estudiar en qué consiste, cómo se desarrolla y qué consecuencias tiene la intervención del lector: qué coordenadas están en su mano para instalarse en la dimensión del *aveniment* y en qué forma su comprensión es desplegada en el preciso ámbito de referencia que el poeta y el poema ofrecen. En este sentido, la lectura literal del texto da claras referencias sobre cómo se aconseja llevar esta intervención del lector: «Amigos e vassallos de Dios omnipotent, / si vós me escuchássedes por vuestro consiment» (1ab). Estudiar el significado de *consiment* y su relación con el *aveniment* en tanto que actividades poéticas dará claves para entender esta intervención.

Estructura léxica del *consiment*

Son varias las acepciones de *consiment* / *cosiment* (< provenzal: cauzimen, cauzir): por un lado tenemos el campo semántico de la 'merced', 'atención', 'indulgencia', 'piedad', 'favor', bondad', 'consideración'; por otro, el de la 'elección'; y por último, el de la 'concesión'[1]. Así, una de las lecturas que se puede hacer de la frase «si vós me escuchássedes por vuestro consiment» sería: 'si tuvierais la merced de escucharme' en el sentido de 'tener la atención de', 'sois clementes', 'si volcáis vuestra consideración en'; lo que en lenguaje familiar se expresaría en 'tened la bondad de eschucharme'. Esta lectura en cierto modo abarca las otras dos acepciones que son también rasgos constitutivos: 'elegir' en el sentido de decidir, esto es, si 'vosotros decidís escucharme', y 'conceder' en el sentido de 'si vosotros me hacéis el favor de escucharme'. Lectura que, llevada a términos retóricos, quedaría en 'si tenéis la benevolencia de escucharme'. Así vista, la lectura familiar se corresponde plenamente con el espacio retórico, entendido éste como un ejercicio lingüístico del lector en su forma concreta de comprensión y expresión por la palabra.

El poeta, con estos sentidos familiar y retórico de *consiment*, está abriendo una dimensión o espacio de solicitud, gracias al cual el lector tiene la oportunidad de formar parte del *aveniment* desde la particular benevolencia o inclinación que genera su *consiment*. A esto se suma el hecho de que tal espacio de solicitud en la forma de un *consiment* discurre de nuevo a través de un *pathos* que va paralelo a las acciones de percibir («escuchássedes»), de emitir con un *ethos* por parte del poeta («querríavos…»), todo ello simultáneo a la actividad de recibir («terrédeslo»). Este *consiment*, entonces, lleva a desechar un puro conocer o entender que sea una aplicación razonada de conocimientos, para centrarse más bien, como lo pide su configuración léxica y retórica, en un comprender el *buen aveniment* desde un ejercicio de deferencia y benevolencia, o «inclinación a su favor» como prefiere Aristóteles. Todo además en el marco de una elección, pues el montaje del *aveniment* viene encarrilado sobre una estructura sintáctica condicional («si vós…») cuya marca de *sine qua non* indica que no hay puesta en acción del discurso, no hay percepción del mismo, si antes el lector no se sume en una actitud de atención, consideración, en definitiva, deferencia.

Virtualidad poética del *consiment*: referencia y deferencia

El *consiment* es visto ahora como un hecho poético que sucede en el preciso instante del *aveniment*. El *consiment*, pues, en la manera de «ocupación» poética que atañe al lector tiene unos ejes constitutivos que permiten fundar el discurso. Éste puede ser visto como un *topos* sin mayor trascendencia que el de ser un juego retórico, o bien, en esta virtualidad poética y constitutiva, es mirado dentro de una concepción de *topica*, más profunda, como «toutes les conditions ou circonstances de l'existence» (Zumthor, *Essai*, 34). Así tratado, el *consiment* se entiende ahora como una actividad poética constructiva *(poieo)* donde a través de la lengua, primera diferencia ontológica del Ser, el lector es capaz de desplegar su propia circunstancia en la base de la referencia del *ave-*

niment poético. Lo que lleva a pensar que para construir la *estructura de referencia* del *buen aveniment* se necesitará la *estructura* que voy a denominar *de la deferencia* o atención. Para que el discurso entre en acción y el *aveniment* se convierta en una estructura de sentido, se precisa por parte del oyente su inclinación o benevolencia, que surge en el preciso momento en que «tiene la merced de» volcar su comprensión en la forma de cuidado o consideración, *consiment* en otras palabras. De esta forma, no hay *referencia* si antes no se construye ésta desde una *deferencia*. Y viceversa, no hay *deferencia* si ésta no se despliega desde la propia *referencia*. Por lo tanto, la deferencia es vista como una estructura poética que es constitutiva del discurso y que despliega desde él sus propios términos. A esto se suma que tal deferencia no se hace, de nuevo, de forma aséptica o puramente inteligente o racional, sino que funciona, dado que es una merced, como forma de cuidado y consideración. Lo mismo sucedía en la referencia: ésta tenía un rasgo positivo o negativo que era distintivo («*buen* aveniment») pues le daba toda su identidad y constitución.

Pero además, quisiera no olvidar un detalle sobre el que volveré en la última parte de este capítulo. Y es que sostiene al *consiment* una circunstancia de posibilidad y respuesta, abierta por la proposición condicional «si vós me escuchássedes...» Por ello, se estudiará el espacio de solicitud del *consiment* como una estructura de posibilidad. Quiere decir que la prótesis «si vós me escuchassédes», y la apódosis «querríavos contar» con su eslabón final de propuesta «terrédeslo», abren una fenomenología de la acción (tiempo, modo y aspecto) cuya facticidad me gustaría encuadrar en la estructura del signo del *aveniment* en tanto que posibilidad.

Un caso de deferencia: prado

Hay que avanzar en la cadena del discurso del poema para descubrir cómo van de la mano la referencia y la deferencia al hilo del sentido:

> Yo, maestro Gonçalvo   de Verceo nomnado,
> yendo en romería   caecí en un prado,
> verde e bien sencido,   de flores bien poblado,
> logar cobdiciaduero   pora omne cansado.
> (*Milagros,* 2)

«Gonçalvo» después de situar a sí mismo y a sus interlocutores como «amigos e vassallos de Dios» refiere el lugar preciso que a él le ha asignado o «nomnado» el Dios «omnipotent» dentro de las escalas de la Creación: cual es el de «maestro». Hay que apuntar además que Berceo es también «maestro» de la creación –literaria–. El poeta, pues, desde esta autoridad da nuevas al lector: «caecí en un prado, / verde e bien sencido, de flores bien poblado, /

logar cobdiciaduero pora omne cansado» (2bcd); y acto seguido en las siguientes estrofas describe las delicias del mismo con una decidida voluntad estilística y retórica: las flores, las aguas, la frescura, los árboles, las frutas, las aves y sus sonidos, verdura perenne, etc. A primera vista tal descripción sorprende por lo prodigioso -algo tan común en esos tiempos-: fuentes frías en verano, calientes en invierno, frutas todas ellas soprendentemente maduras, cantos de las aves «modulados» (7b) «acordados» (7d) matemáticamente como los cánticos y músicas, sobreabundancia por la cualidad «de noblezas» (10c) y por la cantidad de «tantas diversidades» (10c), y todo ello de una «entegredat» (11c) perenne en el tiempo; a tanto llega el prodigio de este lugar que se diría que «semeja esti prado, egual de Paraíso» (14a).

Me he permitido etiquetar este discurso del prado como prodigio, es decir, un suceso extraño que excede los límites de lo natural. Pero esto es un etiquetado a boleo que aconseja circunscribir los límites y coordenadas de lo natural en la actividad poética del verso «terrésdelo en cabo por bueno verament», cuyo recorrido va desde aquello que puede parecer extraño hasta lo que al final resulta ser «bueno». En otras palabras, Berceo avisa a su lector para que atienda, mantenga su atención o *consiment* hasta el «cabo» de la narración que se le «aviene» encima, y para que compruebe por sus propias mientes que todo lo que se ha recitado es verdad.

Con ello, no hay que perder de vista las coordenadas sobre las que se ha venido diseñando el discurso: el «logar cobdiciaduero» del prado se presenta como un *aveniment* que tiene su lugar de encuentro en la dimensión poética que el poema y el lector trazan en acuerdo mutuo, es decir: lo primero es un suceso que se presentaba como referencia, el segundo se apropia de él en sus mientes en una actitud de deferencia –de aceptación atenta– que marca la facticidad del hecho poético. Cabe pensar, por lo tanto, que los límites naturales son los que se originan en esta dimensión que va del referir al deferir. Desde estos límites, que podrían ser los naturales a la apropiación, se pueden integrar múltiples combinaciones que el texto y la deferencia despliegan por sí mismos: ya sea un prado anecdótico como objeto a ojos vistas, es decir, puramente para los ojos (*Vorhanden* para Heidegger), sea el puro juego retórico del *locus amoenus* o *lugar cobdiciaduero,* sea un prado filosófico y teológico, sean las mil y una combinaciones que se le avienen al lector según él quiera tocar con su deferencia aquellos hilos del tejido objetivo que le llaman la atención o *consiment*.

O dicho de otro modo, prado es un buen caso de referencia y deferencia que funciona así: el lector toca aquellos filamentos del *aveniment* que se le entregan como referente del prado, es decir, activa aquellos signos objetivos del poema y del idiolecto berceano por los que se inclina en una actitud de *jouissance* o apropiación. Por lo tanto, la operación de «terrédeslo por bueno verament» consiste en que el *aveniment* poético del prado se le revela al lector como una espiral de sentido que viene constituida por aquellos puntos de significación que él despliega y considera como «buenos».

Despliegue consiste aquí en un ejercicio de consideración («tener por bueno») que desvela la significación del prado toda vez que se convierta en un *aveniment* poético que ocurre a todos y cada uno de los lectores y lectoras. Por eso, «tener por bueno verament» no es un ejercicio de verosimilitud pues lo central aquí no es buscar algo que se parezca a la verdad, esto es, un sucedáneo de verdad, sino que la verdad ha ser un evento poético que sucede y que «aviene» dentro de los límites de la referencia y la deferencia, en otras palabras, se convierte en un suceso de verdad; y en este sentido, se podría leer el «verament» que da final a la primera estrofa. Por otra parte, ha de quedar claro que verdad no tiene un carácter absoluto ni ético, es más bien algo objetivo: verdad es el hecho poético que surge en el preciso momento en que está referido en un texto y deferido en una actitud de apropiárselo en la mente y en la comprensión de forma cuidadosa y atenta.

Dos casos más de deferencia: «amigos e vassallos» y «reçar»

Y ahora viene el segundo caso. La invocación de la primera estrofa es: «amigos e vassallos de Dios omnipotent». La invocación en general sirve para entrar en situación, baste recordar la definición de Zumthor «poésie médiévale est poésie-en-situation». O dicho en otras palabras, el hecho poético se constituye cuando hay un preciso *hic et nunc* (términos de Zumthor) que marca la facticidad del discurso; en términos berceanos, un *aveniment*. Pero entrar en situación es nuevamente abrir límites de comprensión en sus ejes de referencia y deferencia. La situación concreta o anecdótica es ahora la de incorporarse a un discurso como amigos y vasallos de Dios. Pero la situación retórica –siempre en la definición arriba apuntada– va más allá pues es poética en el sentido de combinar el ser y su deferencia, y el texto y su referencia, en un *topos* como lugar de encuentro. Por eso, «amigos e vassallos» no es únicamente un *topos* de *captatio* sino más bien un *topos* como espacio poético de la existencia donde el lector medieval se inscribe en una dimensión de vasallos y amigos que tiene como deferencia una actitud religiosa. Por eso, la deferencia viene marcada aquí por una actitud de creencia y temor de Dios expresados en el doblete «amigos e vassallos» cuya fórmula es: «amigos [(+) amor] y vassallos [(–) temor] de Dios [(+)amor] omnipotent [(–)temor]». En estos términos cristianos, la referencia de «prado» que el poeta quiere ofrecer se despliega desde una deferencia que tiene inclinación sobre aquellos puntos que le marcan la devoción y el temor de Dios, deferencia que se manifiesta en todos los *Milagros,* por ejemplo «fue de Sancta María vassallo e amigo» (276d). Esto lleva a pensar que en los *Milagros,* siempre desde un horizonte cristianomedieval, no hay discurso, ni hay «poésie-en-situation», ni hay constitución del *aveniment* si antes no se aproxima un *consiment* que permite que las significaciones se encuentren en el marco de una creencia. Así lo hace ver Jorge

Guillén: «Toda la poesía de Berceo apararece iluminada [...] como manifestación de una creencia donde se halla el creyente» (*Lenguaje*, 19). Pero esta creencia medieval no es un añadido, sino que es consecuencia de la actividad poética, a través de la comprensión; o más bien una encrucijada poética o *topos* que es el *aveniment* en su expresión de «prado».

Y un tercer y último caso, también en la línea de deferencia diseñada como una devoción. Volvemos a los ejemplos de *Vida de San Millán*, 109ab («Aún si me quisiéredes, señores, escuchar, / el secundo libriello todo es de reçar») y de *Milagros* 235a («Non podriemos nós tanto escrivir nin rezar»). La actividad de *recitare* («reçar») y de escuchar es vista ahora como *topos* o encrucijada de comprensión en una actitud de inclinación y deferencia por aquellos puntos del discurso que se consideran palabra de Dios, palabra que es espejo en enigma del verbo divino. La deferencia permite diseñar una «poésie-en-situation» que consiste no sólo en recitar en público sino también en «reçar» en el sentido de orar, esto es, articular el verbo divino en su magnitud de *scientia* y *Sapientia* antes estudiados. Pero, de nuevo, lo importante es que el *recitare* es básicamente una actividad poética o estética.

El texto en su vicisitud. La deferencia como responsabilidad

Después de los tres casos concretos de deferencia que afectan de lleno al objeto de este estudio, creo necesario referirme a una nota más en la definición de deferencia que viene dada por el hilo del sentido en el texto de Berceo. Y así, para profundizar en este hilo del sentido sujeto al *consiment*, en la introducción de los *Milagros* se pueden, a mi modo de ver, reconocer dos partes perfectamente distinguibles: la primera va hasta la estrofa quince y consiste en la descripción de las maravillas del prado en el cual el «maestro Gonçalvo» está descansando; la segunda es la alegoría explicativa de ese prado que versa desde la estrofa dieciséis hasta el final. En esa primera parte el lector queda sumido en la tarea de comprender el significado de ese prado. En este sentido las dos primeras estrofas invitaban al lector a realizar un ejercicio de comprensión donde el prado se ha de convertir en un *aveniment* poético, siempre y cuando el lector haga su *consiment* en una inclinación atenta y cuidadosa por el sentido y las significaciones que advienen en el discurso.

Así las cosas, puesto que el poeta al principio no parece dar clave ninguna para interpretar la realidad poética del prado, pienso que la clave de esas quince primeras estrofas está precisamente en que Berceo deja a merced o *consiment* del lector la comprensión de esa realidad poética que es prado. Bien es verdad que a partir de la estrofa diecisiete el poeta pasa a exponer qué ángulos –de acceso– de comprensión y de deferencia él ha desplegado a lo largo de la creación; así, para el poeta el prado es la «Virgin Gloriosa» (19c). Ahora bien, a mi parecer, es equivocado leer las estrofas 1-16 desde las coordenadas que marca Berceo a partir de la estrofa diecisiete. Y la razón es bien clara. Se trata de un principio de vicisitud o de orden sucesivo: las estrofas 1-15 vienen antes que las 16 hasta el final. Esto es: el evento poético o *aveniment* en su expresión de prado sucede antes que el evento poético en su expresión de alegoría. Bien es verdad que se puede leer la invitación de «terrédeslo en cabo por bueno verament» en el sentido de que la actividad de «tener por bueno» vendrá cuando al lector a partir de la estrofa 17 se le certifique en forma de alegoría cuál ha sido la verdad que estaba debajo de «prado», esto es, la «Virgin Gloriosa». Tampoco hay que olvidar que esta vicisitud se ocasiona en la primera lectura. En una lectura repetida (lectura-investigación) las estrofas 1-15 se pueden –al menos– entender desde la deferencia a la que Berceo nos invita en la 16: «dejemos la corteza, al meollo entremos».

Ahora bien, mi intento es explicar esa actividad realizada por el lector en la más pura oralidad desde la estrofa primera hasta la décimo-quinta como un hecho en sí mismo y en su propia vicisitud, y no desde el *a posteriori* de la alegoría final. Pero hay que tener en cuenta que una lectura más profunda no es siempre la primera, que produce una impresión, sino la repetida que hace madurar las primeras impresiones. Este detalle de varias lecturas no se produce cuando es pura oralidad, por eso quiero leer la frase «terrédeslo en cabo por bueno verament» como una actividad que sólo el lector desde la referencia que se le da –un prado– y desde su propia vicisitud del texto puede y quiere realizar, en actitud de *consiment,* al margen de otras vicisitudes que vienen después, sean las sincrónicas del texto (estrofas 16 y ss.), o las diacrónicas de una lectura repetida.

Y es aquí donde un concepto de *consiment* o deferencia como estado de inclinación o respuesta al que el lector se encuentra abandonado, puede aclarar posiciones. El texto y el poeta dejan *a cargo* del lector la actividad de comprender, es decir, de construir una deferencia en los términos que es capaz de desplegar desde el texto como referencia.

La importancia de las estrofas 1 a la 16 está precisamente en un estado de suspensión donde el lector no sabe en principio dónde se le lleva y es él quien ha de buscar las coordenadas que han de salir desde la propia referencia del prado. Por eso, la deferencia es vista ahora como un encargo y una responsabilidad que corre de parte del lector. Es el lector, quien en este momento de suspensión tiene que desplegar desde el texto o referente las significaciones que salen de su deferencia. Por eso, para unos «prado» es un «logar cobdiciaduero» o *locus amoenus,* para otros es el claustro de un monasterio, para otros, lo comentaremos más tarde, es un *hortus conclusus* o alegoría del alma, para el poeta es la «Virgin». Pero al fin y al cabo son lector y texto quienes se encuentran en una encrucijada o *topos* de comprensión. La deferencia en este caso se convierte en una responsabilidad en el sentido más literal de respuesta y «correr a cargo» de tal respuesta, es decir, tener la responsabilidad propia de elaborarla y construirla. Ésta es precisamente la nueva nota que quería añadir a mi definición de deferencia. Y en este sentido, la noción heideggeriana de «carga» aclara este componente de la deferencia como responsabilidad. Con el concepto de «carga»(«Last», *SuZ* § 29, 134.), el *aveniment* y el *consiment* se sitúan como signo poético que se constituye en la forma de un «tener que hacerse» -términos heideggerianos- o un *poieo* -términos poéticos-. Y por eso lo más interesante y, desde mi punto de vista, lo más importante de las primeras estrofas es que Berceo quiere poner a sus lectores en este puro hecho de ser y de hacerse poéticamente. Es precisamente esta experiencia de esencia y de responsabilidad la que se contiene en la definición de deferencia.

La deferencia como posibilidad: «si...» ó «la brizna de un proyecto que busca realidad»

Pero hay una última nota que me parece se debe añadir a mi concepto de deferencia. Es la deferencia en tanto que posibilidad. El *consiment*, en el texto de Berceo, se asienta en una estructura condicional que refleja una posibilidad en el futuro: «si vós me escuchássedes ... querríavos contar ... terrédeslo en cabo». Se estudiará ahora el carácter condicional del *consiment* o deferencia como posibilidad que trae consigo el surgimiento del *aveniment* y su correspondiente ejercicio futurible de comprensión de «terrédeslo en cabo».

La actividad de «tener por bueno» hasta el final o el «cabo» crea una situación de ir hacia adelante o hacerse poéticamente impulsado por una actitud de posesión o comprensión que da origen a la misma posibilidad de proyectar significaciones en el marco de una deferencia, y hace surgir, por lo tanto, la misma posibilidad de la entidad significativa de «prado». El *aveniment* poético y la deferencia son entendidos ahora como el advenimiento de un juego de proyecciones de significación cuya posibilidad de existencia no es descubierta si la misma posibilidad no es desplegada antes e impulsada por una actitud básica de *jouissance* o comprensión. En esta línea, mi estudio no pretende en ningún modo proponer qué es «prado», es decir, dar la solución del acertijo, sino que quiere hacer que «prado» sea ese lugar de encuentro, ese *aveniment* poético, que sólo existe en la manera en que es comprendido como posibilidad que despliega sus propios términos en el ámbito de tal posibilidad. Esta situación tan elemental la expresa muy bien Amparo Amorós en «El vínculo»:

> ¿Acaso no hay en todo la brizna de un proyecto
> que busca realidad? ¿No se logran las cosas
> por esa levadura que las vuelve posibles?
> [...] Pide la avena corazón de ser, destino
> de sazón y al germinar es música.
> (*Árboles en la música*, 9)

Pero lo más importante es que esta definición elemental de posibilidad, que capta muy bien Amparo Amorós, aclara la diferencia de posiciones que hay entre la sección 1-15 y la sección de estrofas 16-44. No se puede tomar la invitación de la estrofa 16 como única clave hermenéutica para toda la introducción: «Señores e amigos, lo que dicho avemos / palavra es oscura, esponerla queremos / tolgamos la corteza, al meollo entremos» (16abc). Ya se ha visto que la posibilidad es aquella que crea sus propios términos en el marco de tal posibilidad. Por tanto, aquello que el autor propone a partir de la estrofa 16 como clave de lectura del prado de 1-15 es algo que viene y se añade *a posteriori* con un orden y proyección de posibilidades diferente al creado desde el principio. El lector desde la estrofa primera a la quince ya ha estado creando una proyección de posibilidades de significación de prado presentado como un *aveniment* poético que ocurre a su comprensión. Y en este sentido, prado puede ser la posibilidad de un *locus amoenus* o de un *hortus conclusus* o de cuantas significaciones salten del texto. Quiere decir que la posibilidad o clave de lectura presentada después por Berceo a partir de la estrofa 16 puede ser integrada, si se quiere, en el proyecto de lectura que ya venía desde el principio.

Sin embargo, creo que se limitaría la deferencia del lector si se adosa como un *a priori* de comprensión la clave hermenéutica prado=virgin gloriosa de las estrofas 17 y ss. antes de leer todo el proyecto de lectura de las estrofas 1-16. Por ello, la experiencia de 1-16 es un *aveniment* poético que marca su propia posibilidad y sus propios términos en el momento en que se hace una deferencia o *consiment*. Y en este sentido, examinaré en el tercer capítulo las posibilidades poéticas que pueden surgir. Eso sí, por lo que respecta a 17 y ss. la invitación de «palavra es oscura esponerla queremos» ha de ser entendida como la creación de una segunda posibilidad que también crea sus propios términos en el marco de una nueva encrucijada o *topos* de comprensión que tiene su propio suceso o *aveniment* poético y su propia proyección de posibilidades. Una de ellas es la alegoría como ángulo de acceso o clave poética que surge de la tarea o deferencia de construir *(poieo)* el sentido. Es decir, que la deferencia de las estrofas 16-46 puede crear una posibilidad en términos de alegoría, concebida por Peter Dronke, no como una operación intelectual únicamente, sino como un ejercicio en que el poeta la ve «as creative *possibility* and chose[s] it consciously» (Dronke, 105, subrayado mío).

Por ello, quisiera recalcar con un último ejemplo esta nota de posibilidad que afecta a la deferencia. La deferencia es puesta en un ámbito que envuelve todo conocimiento y en donde no se adosan un significante y un significado, una corteza y un meollo, sino se crea, como un evento en sí mismo, un lugar de encuentro con su propia proyección de posibilidades. Creo que si comentamos los siguientes versos de Aníbal Núñez, del poema «Advenimiento», podemos esclarecer en qué consiste esta virtud de la proyección:

Esta constatación de la belleza,
ese baño de luz en que el conocimiento
como estatua de mármol pasa del frío a la carne
remite a las pupilas incendiadas
a meditar sobre la arrebatada
palabra: la hermosura
niega la voz que intenta proclamarla.
(Núñez, *Obra poética I,* 348)

El conocimiento se configura como un «baño de luz», una transparencia, en tanto que no es puro y «frío» ejercicio cognoscitivo, sino emplazamiento que se despliega en la comprensión desde un temple básico –*la jouissance*– que obedece a una dialéctica de la posesión o «constatación de la belleza». Tal operación «remite» a un ejercicio ontológicamente muy anterior y originario: se trata de la apertura de la comprensión que se da en la forma de proyección de una posibilidad en el marco de una deferencia desplegada desde la misma referencia del texto, son «las pupilas incendiadas». Proyectar posibilidades es crear un ámbito de encuentro donde las significaciones se colocan y se construyen. Tal lugar de encuentro es un estado ontológico previo de la palabra –como es el caso del logos agustiniano– que se puede calificar como estadio previo de hermosura («la hermosura niega la voz que intenta proclamarla») lingüística y poética.

Conclusión

El recorrido crítico del segundo capítulo quedaría simplificado así: para que se produzca un *aveniment* poético, se ha de construir sobre la referencia de éste un *consiment* que consiste en la deferencia con que el lector se inclina a las significaciones. *Aveniment* y *consiment,* referencia y deferencia van de la mano en ese preciso lugar o *topos* de encuentro que es la palabra poética en el texto. La deferencia no es pues una mera invitación formal que hace el poeta, es más bien una invitación retórica en el sentido más sencillo del término: intervención responsable en la *poiesis* del texto para desplegar desde él todas las posibilidades creativas que salgan al paso en una comprensión que se convierte en un *aveniment* poético de todas y todos. Tal estructura de referencia y deferencia, además, ha permitido individuar dos momentos en el texto de la introducción de los *Milagros* en su propia vicisitud: las estrofas 1-15 son un evento poético que recae en el texto y el lector y sus deferencias entendidas como posibilidades creativas; las estrofas 16 hasta el final son un evento distinto que el poeta quiere enmarcar en la posibilidad poética de la alegoría, y que el *consiment* o deferencia del lector puede aceptar y desplegar.

NOTAS

¹ Para Bartha el significado de *consiment* -que deriva de la palabra provenzal *cauzir*- en esta cuaderna es 'elección', 'preferencia', aunque más también lo traduce por «care» ('consideración', 'cuidado'): «If you should care, or CHOOSE, to listen to me» (59) cfR. Jeannie K., «Four Lexical Notes on Berceo's *Milagros de Nuestra Señora*», *Romance Philology*, 37(1983), 58-60. Emil Levy traduce al francés *cauziment* en la acepciones de 1) 'choix', 'décision', 'discrétion', 2) 'indulgence', 'clemence', 'pitié' y 3) 'exaucement', Cfr. *Petit Dictionaire Provençal-Français*, Heidelberg, 1909. En su *Supplement-Wörterbuch* (Leipzig, 1894), Emil Levy traduce *cauzir* por «etwas unterscheiden von» ('distinción'), «seine Wahl richten auf» ('hacer una elección»), «zielen» ('dirigir la antención', 'con miras a') y por último el adjetivo *cauzit* como «nachsichtig» ('con clemencia', 'indulgente').

III

Las involucraciones del texto de los *Milagros*

En el anterior capítulo la deferencia venía definida como una estructura de consideración y cuidado que se despliega desde el mismo referente como una posibilidad originada en la misma comprensión. Entre referencia y deferencia era posible construir un lugar común desde una comprensión que proyecta sus propios términos, fundados en las involucraciones del texto mismo. Quisiera profundizar ahora sobre el funcionamiento de esta deferencia en tanto que inclinación que se detiene en las involucraciones surgidas de la referencia.

Hacia un concepto de involucración

¿Qué es concretamente una involucración? El primer punto que conviene resaltar es que la deferencia o *consiment* es la proyección de tentáculos de atención en el modo de un recorrido de circunspección y consideración («tener por bueno») que abre involucraciones desde el referente. La comprensión, según Heidegger, no se hace de forma aséptica, sino que es circunspección o consideración (*Sicht, Umsicht, Rücksicht: SuZ,* §31). Hay que ir de nuevo a la estrofa primera para localizar este recorrido de circunspección. Partimos de una actitud de inclinación que es el *consiment* («si vos me escuchássedes por vuestro consiment»), llegamos a un lugar poético de encuentro que es el *aveniment* («querríavos contar un buen aveniment»), y por último lo («terrédes-*lo*») ocupamos en la forma de comprensión («terrédeslo en cabo por bueno verament») y en la medida en que ésta «considerará» por «bueno» aquello que afecta o toca, aquello por lo que uno se inclina o está interesado.

Hay que señalar además que, cuando he dicho que se abre una posibilidad que marca sus propios términos y crea por sí misma un ámbito donde las cosas se encuentran, me refería a que se está creando ya de antemano un *aveniment* poético donde las significaciones se hacen *(poieo)* en la medida en que uno se las encuentra como proyectadas por la comprensión que es circunspección y atención por aquello en que uno se interesa o en lo que se deja involucrar. «Terrédeslo en cabo por bueno», entonces, abre toda una fenomenología de la involucración, pues «por bueno» consistirá en aquellos puntos del signo «prado» cuyos tentáculos de significación son desplegados por la propia inclinación o *consiment* que mira (*Sicht*) o se circunscribe a aquellos significados que tocan o interesan.

Por tanto, involucración es aquel punto del referente por el que la deferencia se inclina de manera que lo hace surgir como una posibilidad compartida. Involucración es una posibilidad que se hace *aveniment* siempre que pertenezca a un mundo compartido por el lector y por el texto.

Involucración en un mundo compartido

Pero conviene resaltar que tal mundo no es algo catalogado en una historia o en una retórica, sino que es algo que se hace *aveniment* desde el hecho poético mismo. En este sentido, creo que la labor del filólogo no consiste únicamente en elaborar un catálogo o en hacer una reconstrucción del mundo compartido, sino que conviene estudiarlo en tanto que se desarrolla como un evento poético que tiene lugar en un texto determinado. Así para Zumthor

> un rapport de participation active rattachait chaque énoncé au vaste texte virtuel et objectib de la «tradition», univers de référence à la fois imaginaire et verbal, lieu commun de l'auteur et de l'auditeur[1]. (*Essai,* 120.)

Quiere decir que cada texto es visto como una participación activa que se refiere a un mundo compartido o «univers de référence» donde late un lugar común. Pero añadiría más: el lugar común no es algo virtual, sino que es que es real o esencial pues es un *aveniment* que ocurre.

Respecto de este concepto de mundo compartido, también resulta interesante la opinión de Rigolot, quien se refiere a un «pré-texte» como «l'ensemble des conditions de production qui entourent l'œuvre, qui la bordent (sens du latin *praetexta,* de *praetexere,* border) et lui donnent aussi son sens» (Rigolot, 93). El mundo compartido es situado ahora como algo que rodea y da sentido a la obra. Este «prétexte» debería ser entendido como un *aveniment* que recorre todo el ámbito del texto en la medida en que la deferencia lo considera. O en otras palabras, rodea la obra pero en un recorrido que se pone por obra y que atraviesa todo el tejido de la obra.

También resulta muy eficaz el concepto de «formación» (*Bildung*) que Hans-Georg Gadamer analiza desde la siguiente definición de W. von Humboldt:

Pero cuando en nuestra lengua decimos «formación» nos referimos a algo más elevado y más interior, al modo de percibir que procede del conocimiento y del sentimiento de toda la vida espiritual y ética y se derrama armoniosamente sobre la sensibilidad y el carácter. (Gadamer, *Verdad y método,* 39.)

La formación es también un mundo compartido por cuanto determina a la deferencia y a la referencia desde puntos de involucración que chocan en una misma sensibilidad –en mis términos sería circunspección–. Pero, nuevamente, quisiera resaltar que formación es algo compartido en tanto que se hace forma, es decir, en tanto que se forma como hecho o *aveniment* poético.

El concepto de involucración

No está de más dejar los conceptos claros antes de pasar a casos concretos. El *topos* es el lugar de encuentro que hace coincidir referencia y deferencia en el ámbito poético de la palabra, toda vez que ésta se hace evento de la comprensión cuando hace surgir un mundo de sentido compartido. La deferencia es, pues, la puesta en marcha de un mundo de sentido que co-incide con el mundo de sentido del texto o referente en aquellos puntos de involucración en que se fija la circunspección del lector. El sentido, por tanto, es esa espiral de involucración que circula en un sentido u otro según la atención del lector y la referencia del texto se imbriquen en movimiento constante que toca sin cesar puntos de coincidencia y al mismo tiempo descarta puntos que pasan desapercibidos. En esos puntos de coincidencia o involucraciones está la palabra poética que lo es en tanto que se hace *(poieo)* acto en el lugar de encuentro de la comprensión.

Involucración y diseño

Pero, antes de pasar a analizar el texto de Berceo, quisiera analizar una última nota sobre la involucración. La espiral de involucración es vista ahora como un diseño (*Vorhabe:* Heidegger, *SuZ*, §32), que consiste en que ya de antemano se diseña o avanza lo que una significación es en la medida en que se la toma por aquellos puntos que tocan y afectan. Así el *aveniment* viene diseñado en una estructura de involucración compuesta por puntos («buen/por bueno») que ya vienen trazados en una primera toma o diseño. Las líneas de este diseño se dibujan a través de los puntos de involucración que interesan o tocan en el marco de un temple o actitud previa de posesión –*jouissance*– y en la manera de un *consiment* o inclinación hacia tales puntos. Estas líneas de diseño que se configuran en «por bueno» parten objetivamente del tejido del signo. Este pequeño ejemplo de Voltaire es un caso extremo de diseño que lleva al absurdo la objetividad, pero no por ello dejar de estar en el tejido objetivo de la realidad, en este caso una nariz y unas piernas:

> Pangloss: «car, tout étant fait pour une fin, tout est nécessairement pour la meilleure fin. Remarquez bien que les nez ont été faits pour porter des lunettes, aussi avons-nous des lunettes. Les jambes sont visiblement instituées pour être chaussées, et nous avons des chausses»[2]. (Voltaire, *Candide,* 27.)

Involucraciones geo-métrico-sintácticas

Es hora de recorrer el texto de la introducción para descubrir nuevas involucraciones y diseños. La cadena «prado / verde e bien sencido, de flores bien poblado» (2c) sirve de ejemplo. Son muchas las lecturas que se han hecho de este verso: *topos* literario (prado=virginidad), topos retórico (prado=*locus amoenus* o «logar cobdiciaduero»), alegoría (prado=«Virgin Gloriosa»), incluso mística y arquitectónica (prado=claustro de un convento). Todas son factibles en tanto que parten de un diseño previo que se acerca a las involucraciones del texto. ¿Cuál es mi aproximación a este texto? Primero hay que recordar la definición de lectura que encabezaba esta primera parte: lectura es «modo de aproximación», es decir, no importa tanto lo que uno o una pueda conocer cuanto cómo uno o una se maneje ante una situación. Tiene relevancia este ángulo de manejo porque en él se perfila el diseño y las involucraciones que se desprenden del texto. *Poieo* en este caso es manejarse ante una situación y saber implicarse con ella, puesto en términos de Ciriaco Morón Arroyo en la Introducción: «descubrir» o «enseñar, es apuntar a la realidad que a mí también me llama»; recordemos los versos de Aníbal Núñez «Nadie posee / lo que no sabe ver», o la expresión de Heidegger comentada desde la introducción de «sich auf etwas verstehen» o ser entendido en algo.

Así pues, ¿qué es lo que llama la atención o *consiment* de este texto? ¿con qué diseño e involucraciones me voy a manejar en el siguiente texto?

> yendo en romería caecí en un prado
> verde e bien sencido, de flores bien poblado.
> (*Milagros,* 2bc.)

En primer lugar, la pura disposición sintáctica y métrica «llama» la atención. El poeta ha recargado la totalidad de un sólo verso con formaciones calificativas, sea por medio de adjetivos («verde», «sencido», «poblado»), sea a través de un complemento de nombre en función adjetiva («de flores»), sea, por último, con los adverbios «bien... bien» que refuerzan de modo intermitente la cadena de calificación. Pero además la lectura de tal carga adjetival se hace de forma ordenada: el ritmo lógico de lectura se deja llevar por la conjunción «e» y por la coma, pues ambos seccionan ordenadamente los eslabones sintácticos de carácter adjetivo:

verde ≈ e ≈ bien sencido ≈ , ≈ de flores ≈ bien poblado≈.

La circunspección se circunscribe ahora en un diseño sintáctico y rítmico a la vez: «verde» queda aislado de la cadena y se presenta como independiente con respecto a los otros, pues no tiene adverbio reforzador ni conjunción o coma que le preceda, y es él la cabeza y el punto rítmico de arranque del verso: «verde ‖ e bien sencido, de flores bien poblado». Importa ahora la pura materialidad sonora de «verde»: el acento al principio (óo) introduce rítmicamente el verso de golpe desde la primera sílaba acentuada, igual que los versos de Quevedo «sombra que me llevare el blanco día» o de Lorca «trompa de lirio por las verdes ingles», donde no hay posibilidad de anacrusis.

Ahora considero «sencido» y «de flores» como pareja, gracias a la cadena que se manifiesta de forma totalmente simétrica, así: «bien sencido, de flores bien», en el sentido de que ambos están unidos por una pausa sintáctica expresada ortográficamente en la coma, y ambos están rodeados por «bien», adverbios que son antepuestos y postpuestos, aunque el segundo «bien» no recae directamente en «de flores» sino en «poblado». Sin embargo, esta última simetría «bien sencido, de flores bien» se escapa en el momento en que la pausa sintáctica que servía de unión aparece ahora como una pausa de hemistiquio que desune los miembros de la cadena: «bien sencido ‖ de flores.» Esto da como resultado una especie de pequeño ámbito en el centro del verso que viene organizado a modo de quiasmo:

bien sencido, de flores bien
adv+adj,adj+adv = ABBA

Leo otra vez la cadena «verde e bien sencido, de flores bien poblado»: desaparece la independencia de «verde» en el momento en que la atención se circunscribe a una nueva linealidad, otra especie de quiasmo:

ADJ. < bien ⁓ ADJ. + ADJ. ⁓ bien > ADJ. (ABAABA).
verde < bien ⁓ sencido + de flores ⁓ bien > poblado

Pero, si leo este verso primero aislando los hemistiquios y después comparándolos, observo que pierdo de la circunspección la cadena quiástica central (**ABAABA** = verde e **bien sencido, de flores bien** poblado), pero gano otra combinación matemática ABA≈ABA:

ABA = «verde e bien sencido»
ABA = «de flores bien poblado»

En conclusión, este «modo de aproximación» tan literal ha venido abierto por las involucraciones –en este caso son meramente geo-métrico-sintácticas–

que han surgido por virtud de una inclinación o *consiment* que se circunscribe a aquello que toca o interesa, en este caso el orden de las palabras. Y me he referido a la expresión geo-métrico-sintácticas porque tiene el sentido que da Jakobson a algunas relaciones gramaticales; él lo aplica a los pronombres desde un sentido estructuralista, mi lectura, a los adjetivos desde un sentido sintáctico:

> The abstractive power of human thought, underlying [...] both geometrical relations and grammar, superimposes simple geometrical and grammatical figures upon the pictorial world of particular objects and upon the concrete lexical «wherewithal» of verbal art [...]. The pivotal role performed in the grammatical texture of poetry by diverse kinds of pronouns is due to the fact that pronouns [...] are purely grammatical. The relation of pronouns to non pronominal words has been repeatedly compared with the relation between geometrical and physical bodies[3]. (Jakobson, *Language in Literature*, 133.)

Leo la cita en los términos que hemos venido analizando. La deferencia o inclinación recorre un ámbito con una circunspección atenta a los puntos geo-métrico-sintácticos que avanzan un diseño del texto –«pictorial world»– y son un ángulo en que se maneja la lectura. Tal deferencia y diseño vendría a coincidir con lo que Jakobson denomina «the abstractive power of human thought», es decir, un mapa o plan mental (*Vorhabe* para Heidegger, o diseño previo) que guía la lectura por los puntos de involucración.

Involucración y deferencia bíblicas: *hortus conclusus* visible e invisible

El *consiment* se circunscribe ahora a la cadena «prado / verde e bien sencido, de flores bien poblado» (2c) y a la estrofa:

> Avié y gran abondo   de buenas arboledas,
> milgranos e figueras,   peros e mazanedas,
> e muchas otras fructas   de diversas monedas,
> mas non avié ningunas   podridas ni azedas.
> (*Milagros*, 4.)

Las referencias de «prado», «verde» y «milgranos e figueras, peros e mazanedas» se involucran con una comprensión en la forma de una deferencia que se interesa y se inclina por reminiscencias bíblicas. Tales reminiscencias se convierten en puntos de involucración desde el momento en que son compartidas por el texto y por los horizontes mentales del lector –*formación* en términos de Gadamer.

Al leer el verso «prado / verde e bien sencido, de flores bien poblado» y la estrofa cuarta («milgranos» «manzanedas», etc.), la reminiscencia viene del *Cantar de los Cantares*, «prado» en el sentido de *hortus conclusus*:

Hortus conclusus, soror mea sponsa, hortus conclusus, fons signatus. Emissiones tuae paradisus malorum punicorum cum pomorum fructibus (*Cant.* 4,12,13).

'Huerto eres cerrado, hermana mía, novia, huerto cerrado, fuente sellada. Tus brotes un paraíso de granados, con frutos de manzanos.'

El modo de aproximación que adopto, tanto para la cita bíblica como para el verso de Berceo, se hace desde un ángulo de circunspección y de lectura que ve en la referencia del texto una deferencia inclinada por aquellos puntos cuyo diseño toca lo espiritual. Aquí texto y deferencia comparten una misma formación en el sentido que le habíamos dado arriba. Para aclarar tal diseño de aproximación vale la deferencia espiritual que San Buenaventura presenta al principio de su tratadito *De plantatione paradisi*:

> Así como, para los que piadosamente miraban a Cristo, la visión de la humanidad que se hallaba patente era camino para el conocimiento de la Divinidad que estaba latente, así también el ojo de la inteligencia racional es llevado como de la mano mediante enigmáticas y místicas figuras al conocimiento de la divina sabiduría. En efecto, no puede ser conocida por nosotros la sabiduría invisible de Dios sino conformándose por vía de semejanza a estas formas de las cosas visibles que conocemos, y manifestándonos mediante ellas las invisibles que no conocemos (*Plantatione,* 1)[4].

El *consiment* se manifiesta ahora como una especie de ojo de la conciencia en la forma de comprensión clavado en aquellos puntos del signo lingüístico que le tocan o interesan. El ángulo de comprensión y de deferencia es ahora un ojo racional que ve los objetos, las palabras y la referencia como figuras, es decir, realidades de significación hechas a imagen y semejanza de realidades trascententales y divinas. «Prado» se configura ahora como una realidad lingüística donde «late» una significación trascendental o divina. Este ángulo de deferencia, por tanto, ha creado los propios términos en que se va a desarrollar la comprensión del *aveniment* poético en su expresión de «prado», y que se basa sobre puntos de involucración místicos y trascendentales: la realidad poética «prado» se involucra en la comprensión en tanto que esta realidad póetica es considerada en un diseño cuyos elementos «visibles» se «conforman» o coinciden como en espejo imperfecto, en enigma y en semejanza con una realidad «invisible» que es la divina. Tal deferencia espiritual quedaba diseñada en *Rom.* 1, 20: «Invisibilia Dei a creatura mundi per ea quae facta sunt intellecta conspiciuntur».

El huerto de Gonçalvo

Volvemos sobre el texto «prado / verde e bien sencido, de flores bien poblado», la estrofa cuarta y la referencia del *Cantar de los Cantares* para ver cómo esta deferencia mística articula el tejido significativo del signo o figura del «prado». Se hace en términos de intepretación que traza San Buenaventura, pero ahora en lo que se refiere al *hortus* considerado como paraíso:

> considera en el alma el paraíso celestial como hartura excesiva o extática de la contemplación encumbrada, y el paraíso terrestre como suavidad que alimenta la devoción humilde. Por esta razón de estos dos sentidos dice el esposo al alma devota en *Cantar de los Cantares:* «Huerto cerrado...» (San Buenaventura, *Plantatione,* § 3)[5].

Para San Buenaventura «el alma es designada también con el nombre de paraíso terrestre y celestial» («Quod anima similiter et terrestris paradisi designatur nomine ac caelestis»). El «prado» u *hortus* de Berceo, por tanto, podría configurarse a modo de figura del alma que contempla a través de su racionalidad un paraíso interior que es la Sabiduría divina, el verbo de Dios hecho carne, y un paraíso terrestre y exterior que incita a la devoción; no en vano en 14a: «Semeja esti prado egual de Paraíso.» Siguiendo esta equivalencia prado=paraísos=alma, la estrofa cuatro («Avié y gran abondo de buenas arboledas /[...] e muchas otras fructas...») tendría también su correspondiente interpretación y diseño:

> (alma), medita pausadamente pensando, mastica meditando, saborea las dulzuras variadas de los frutos nacidos de estos árboles masticando, los cuales han sido plantados por la Sabiduría multiforme de Dios en tu corazón como en el huerto del paraíso (§ 10)[6].

Con la interpretación de San Buenaventura del *hortus conclusus,* el «prado» de Berceo queda diseñado como un paraíso terrestre que incita a la devoción y un paraíso interior, cual es la contemplación del verbo divino.

Resumiendo: la referencias bíblicas del *Cantar de los Cantares* sobre el «hortus» y de *Rom.* 1, 20 («Invisibilia Dei...») han sido los términos en que la deferencia ha ocupado o ha hecho *(poieo)* el ámbito de comprensión donde los elementos poéticos de «prado» se han encontrado y han sido encontrados. Tales referencias bíblicas se quedarán como soluciones a los acertijos alegóricos, si éstas no han sido instaladas en los horizontes mentales y en la formación del lector. Deferencia, pues, consiste en los términos en que el lector se maneja cuando tiene que comprender una cosa, y se refiere a los términos en que ella o él se inclinan ante las cosas que les tocan o les interesan. Si en su comprensión tales términos no les interesan o no les tocan, o como diría San Buenaventura no son «masticados», su comprensión de «prado» será distinta. Lo que no quiere decir que la versión del que lee místicamente sea mejor que el que lee «geo-métrica y sintácticamente», o el que ve en el prado el símbolo de la Virgen María. El «prado» es un *aveniment* poético que ocurre en cada uno de los lectores y lectoras en la medida en que lo despliega y lo deja involucrar en sus significaciones.

Diseño o involucración: «Palavra es oscura.»

Dos puntos que hay que tener en cuenta de antemano: estábamos, por un lado, en un «prado» analizado desde horizontes mentales bíblicos donde con la interpretación de San Buenaventura se construía un diseño de acercamiento o *consiment* consistente en el *hortus conclusus* del *Cantar de los cantares;* por otro lado, habíamos visto en el segundo capítulo que la operación de disección «corteza/meollo» de la estrofa 16 quedaba emplazada a un estadio *a posteriori* del «terrédeslo» de la estrofa primera y siguientes; y venía, por último, definida la estrofa 16 como una nueva «posibilidad» de suceso poético, cual es la alegoría. La lectura se detiene ahora en la estrofa 16:

> Señores e amigos, lo que dicho avemos
> palavra es oscura, esponerla queremos;
> tolgamos la corteza, al meollo entremos,
> prendamos lo de dentro, lo de fuera dessemos
> (*Milagros,* 16).

Realizada en las primeras estrofas una descripción minuciosa del prado, el poeta hace en esta estrofa un comentario y una interpretación personal de tal descripción del principio: consiste en que para él lo dicho anteriormente es «palabra oscura» que necesita de una glosa. Se observa que los postulados de interpretación *a posteriori* que Berceo establece en «palavra es oscura» se corresponden con los postulados hermenéuticos de la Biblia; ambos crean una involucración cuyo diseño viene realizado en una deferencia que se inclina nuevamente por un sentido espiritual.

Veamos ahora cómo se configura bíblicamente esta palabra oscura. La lectura espiritual veterotestamentaria ve en la palabra una revelación figurada –o por medio de figuras– del mensaje y la persona de Cristo. Los hechos del *Antiguo Testamento* sucedieron en *figura,* y así, según Lubac, será la realidad de Cristo y la de la Iglesia la que haga ver en transparencia el carácter universalmente figurativo de los asuntos antiguos; por eso para Agustín y para otros exégetas –lo hemos visto en San Buenaventura– la figura será siempre *umbra* si no es iluminada posteriormente por el verbo de Dios hecho carne, es decir, Cristo: «Omnia quippe illa in figura contingebant in illis, donec aspiraret dies et removerentur umbrae» (Agustín, *Hexaem.* 1. 3). La lectura neotestamentaria, por otro lado, «removerá las sombras» pues la letra se impone por sí misma en la conciencia del hombre y no existe diferencia entre lo literal y lo figurativo, dado que quedan igualados en el interior del hombre por el espíritu y la gracia de Cristo –interior que era *scientia* en Agustín–; por ello, la letra consiste en una corteza que está pegada al meollo sin separarse, «buscando el espíritu debajo de la letra, como si buscásemos el meollo bajo la corteza»[7].

Así planteado, en términos bíblicos de San Buenaventura y sólo desde la declaración de Berceo en la estrofa 16, el *aveniment* de «prado» (estrofas 1-15) quedaría en «palavra es oscura» si no está impregnada del significado espiritual (meollo) que está pegado y que reverbera en la letra (corteza). Por tanto, Berceo podría partir desde un diseño espiritual.

Pero no debemos olvidar la situación básica desde la que parte el lector: en mi opinión, en las estrofas 1-15 Berceo pone al lector en situación de que la palabra es lo que es, es decir, su propia letra que tiene fuerza y se impone por sí misma para reverberar cuantos significados y realidades sean posibles. En lo que concierne al lector, ya comenté en el capítulo segundo que la gracia de las estrofas 1-15 consistía en dejar al lector para que él se las arregle y cree desde la referencia sus propios ángulos de manejo y sus propias deferencias que articulan un diseño para seguir adelante, y que, lo más importante, todo ha de salir del texto mismo. En el caso de que una de las deferencias o diseños sea la alegoría prado=virgin gloriosa, nos encontramos con un discurso arbitrario en el sentido de que el «meollo» o significado extraído por el intérprete no se encuentra en las denotaciones y connotaciones normales del significante. O sea: prado (significante, corteza) denota un prado y connota huerto, jardín, paraíso, verde, agua, etc. Lo que jamás denota ni connota es la «Virgin»; ésta es una denotación voluntariosa, arbitraria.

Ahora bien, lo que intento discutir ahora es la propia interpretación y el propio diseño del poeta de las estrofas 1-15. En este sentido, mi argumento principal es que Berceo, por su parte, ha preferido hacer una escritura con un diseño tipo evangélico: de la misma forma que en la letra del evangelio late la realidad espiritual Cristo, así en la letra de los *Milagros* late una realidad poética –Virgen María prefiere Berceo– que el lector por sí mismo debe asumir como un suceso o *aveniment* que ocurre en su comprensión. La lectura que se ha venido haciendo hasta ahora es que las estrofas 1-15 eran alegoría, corteza y meollo separados y diseccionados. Alegoría es la propia hermenéutica que Berceo establece en las estrofas dieciséis y siguientes. Sin embargo, a ojos de Berceo, las estrofas primeras obedecen a un concepto de palabra en el sentido bíblico donde corteza y meollo coinciden: la letra, más que una alegoría, es palabra en enigma de la palabra de Dios que ocurre en la conciencia *(scientia)* hecha a imagen y semejanza de la conciencia divina *(Sapientia)*. Y por eso, la letra de Berceo es palabra en enigma –en términos modernos, símbolo– que ocurre en la comprensión del lector. Para el poeta riojano «palavra es oscura» porque puede que el lector no haya sabido, en ese estado de soledad de la comprensión de las primeras estrofas, encontrar el enigma que late en «prado» y que para el poeta es «la Virgin Gloriosa». Pero ha de quedar claro que «prado=virgin gloriosa» es la versión que *a posteriori* da Berceo de su propio *aveniment* o suceso poético del prado, en su propia vicisitud poética del acto de la escritura. Pero toda versión no tiene por qué coincidir con la de Berceo, pues la vicisitud del lector es diferente ya que, en el texto, es anterior a las estrofas 16 y siguientes, y en la comprensión, es un *aveniment* diferente porque el lector desde su propia deferencia o *consiment* diseña desde el referente la realidad poética del prado. Lo importante es que cualquier lectura que se haga del «prado» sale del texto, es decir, sale del símbolo –corteza y meollo unidos, y no diseccionados–, que hace coincidir cuantos puntos de involucración se desplieguen: geo-métrico sintácticos, religiosos *(hortus conclusus),* hermenéuticos y bíblicos (*umbra* o palabra oscura), simbólicos (palabra en enigma), retóricos, sexuales, etc.

Conclusión: «verament»

«Terrédeslo» es la ocupación que realiza la comprensión de un lugar de encuentro y significación que es el *aveniment* poético en su expresión de «prado», o en otras palabras, llevar a «cabo» en el interior de la comprensión el proceso mental y poético del *aveniment* como un suceso poético que ocurre a cada uno. La manera en que este *aveniment* ocurre se manifiesta a través de una actitud mental primera, la *jouissance,* que mueve todos los ejes del discurso. La estructura poética de involucración de «terrédeslo» consistiría entonces en el siguiente proceso: el *-lo* de «terrédeslo» en su significación de 'buen aveniment' existe en la medida en que está presente en «terrédeslo», es decir, en la medida en que el lector lo posee y hace que ocurra en el ámbito de su comprensión gracias a una disposición mental previa que permite que se incline y se proyecte en las significaciones del signo poético. A esto se suma el *consiment* por parte del lector que genera la posibilidad («si vos me escuchásedes...») de abandonar su atención («por vuestro consiment») a la tarea de dejarse involucrar por aquellas significaciones que le afectan y han venido diseñadas en avance y en el marco de una *jouissance* entre «amigos e vassallos.»

Por tanto, si existe una verdad, no es más que la desarrollada en todo este proceso de comprensión: el lenguaje. Finalizamos con la misma definición de lenguaje de la que hemos partido: expresión del Ser. El poeta de los *Milagros* ofrece una dimensión que no es más que el recinto poético donde es posible manejarse toda vez que se pongan las palabras en acción desde la comprensión poética.

NOTAS

[1] «Una relación de participación activa adscribía cada enunciado al vasto texto virtual y objetivo de la tradición, universo de referencia a la vez imaginario y verbal, lugar común del autor y del público oyente.» (Traducción mía.)

[2] «Pues teniendo todo un fin, todo es necesariamente para mejor fin. Fijaos en que las narices se han hecho para llevar gafas, por ello tenemos que llevar gafas. Las piernas, a la vista está, se han instituido para ser calzadas, y llevamos calzas.» Trad. de Elena Diego: Voltaire, *Cándido. Micromegas. Zadig,* Madrid, Cátedra, 1994, 60.

[3] «El poder de abstracción del pensamiento humano, que subyace tanto a las relaciones geométricas como las gramaticales, superimpone figuras simples geométricas y gramaticales sobre el mundo pictórico de objetos particulares y sobre "los medios" léxicos concretos del arte verbal. El papel primordial que los diversos tipos de pronombres desempeñan en el entramado gramatical de la poesía se debe a que éstos son puramente gramaticales. La relación de los pronombres con palabras no pronominales ha sido varias veces comparada con la relación entre cuerpos geométricos y físicos.» (Traducción propia.)

[4] «Sicut in Christum pie intendentibus aspectus carnis, qui patebat, via erat ad agnitionem Divinitatis, quae latebat; sic ad intelligendum divinae sapientiae veritatem aenigmaticis ac mysticis figuris intelligentiae rationalis manuducitur oculus. Aliter enim nobis innotescere non potuit invisibilis Dei sapientia, nisi se his quae novimus visibilium rerum formis ad similitudinem conformaret et per eas nobis sua invisibilia, quae novimus, significando exprimeret.»

[5] «ut vadelicet caelestis paradisus in anima dicatur sublimis contemplationis excessiva satietas, terrestis vero humilis devotionis refocillativa suavitas. Ratione quorum duorum ad animam devotam dicitur a Sponso in Cantico Canticorum: 'Hortus conclusus...' (San Buenaventura, *Plantatione,* § 3.)

[6] «[anima] saltem sicut adhuc animalis et parvulus pedetentim recogitando mediteris, meditando mastices, masticando degustes sapores varios fructuum ex his lignis prodecentium, quae Dei Sapientia multiformis in corde tuo plantavit tanquam in hortulo paradisi» (§ 10).

[7] «sub littera spiritum, quasi sub cortice nucleum requirentes", *apud* Lubac, 117.

SEGUNDA PARTE

Estado, pensamiento y sentido: tres *topoi* de la imitación en Garcilaso

GLOSARIO POÉTICO

a diestra a siniestra, *ab tort e dret,* cogitación, contemplar, dulce y blandamente, *errare* y errar, espíritu, estado, fantasía, fantasma, imagen, imitar, mal,
pensamiento desatinado, pensamiento vano, *sen, sensus,* sentido, sentir, seso,
smagati, smarrimento, species, temença, temor, vía espantosa.

GLOSARIO TÉCNICO

adherencia, *An- und Abkehr, Befindlichkeit, cogitatio,* comprensión, deferencia,
diseño, energía, estado de ánimo, *ethos,* expresión, imitación, lugar de
encuentro, *pathos,* referencia, *sensus communis,* sentido, temple, *topos,* versión
y aversión, *Vorhabe.*

78

El *estado* de la contemplación

    El dulce lamentar de dos pastores,
Salicio juntamente y Nemoroso,
he de cantar, sus quejas imitando;
cuyas ovejas al cantar sabroso
estaban muy atentas, los amores,
de pacer olvidadas, escuchando.
    Tú, que ganaste obrando
un nombre en todo el mundo
y un grado sin segundo,
agora estés atento sólo y dado
al ínclito gobierno del estado
albano, agora vuelto a la otra parte,
resplandeciente, armado,
representando en tierra al fiero Marte;

    agora, de cuidados enojosos
y de negocios libre, por ventura
andes a caza, el monte fatigando
en ardiente ginete, que apresura
el curso tras los ciervos temerosos,
que en vano su morir van dilatando:
    espera, que en tornando
a ser restitüido
al ocio ya perdido,
luego verás ejercitar mi pluma
por la infinita, innumerable suma
de tus virtudes y famosas obras,
antes que me consuma,
faltando a ti, que a todo el mundo sobras.
    En tanto que'ste tiempo que adevino
viene a sacarme de la deuda un día

que se debe a tu fama y a tu gloria
(que's deuda general, no sólo mía,
mas de cualquier ingenio peregrino
que celebra lo digno de memoria),
    el árbol de victoria
que ciñe estrechamente
tu glorïosa frente
dé lugar a la hiedra que se planta
debajo de tu sombra y se levanta
poco a poco, arrimada a tus loores;
y en cuanto esto se canta,
escucha tú el cantar de mis pastores.

    Saliendo de las ondas encendido,
rayaba de los montes el altura
el sol, cuando Salicio, recostado
al pie d'una alta haya, en la verdura
por donde una agua clara con sonido
atravesaba el fresco y verde prado;
    él, con canto acordado
al rumor que sonaba
del agua que pasaba,
se quejaba tan dulce y blandamente,
como si no estuviera de allí ausente
la que de su dolor culpa tenía,
y así como presente,
razonando con ella, le decía:

(Garcilaso, Égloga I, 1-56)

La energía de la comprensión

La lectura consiste en explorar el mundo de la palabra pero sólo cuando se
hace propio su recinto de sentido y significación. Lectura significa, pues,
comprensión, vale decir, prender lo que se recibe por aquellos puntos que agarra la atención que a su vez se clava en los significados y las cosas. Pero además, desde el momento en que la atención se prende de las palabras, se les da
ipso facto un sentido. Quiere decir que verter la atención sobre algo supone de
suyo dar una versión de ese algo o darle un sentido por el que circula. El análisis que voy a desarrollar no quiere hacer hincapié sobre qué versión o qué
sentido concretos tiene, en este caso, la égloga primera de Garcilaso, y en
otros, la canción cuarta o el soneto primero, o bien fragmentos de Ausiàs
March y los dos Jorges, Manrique y Guillén. El análisis quiere ir encaminado

sobre cómo y desde qué coordenadas se despliega y circula la comprensión del sentido de un texto y de qué manera esta atención que da una versión de las cosas se vierte hacia ellas. Más concretamente, se trata de invitar al lector a que, en el momento en que tiene en sus manos el sentido de lo que ha comprendido, se pregunte sobre cómo ha llegado a esto o cómo ha llegado a comprenderlo. Es pues una comprensión de la comprensión. A este respecto viene muy bien leer esta cita de *Il Gattopardo* de Giuseppe Tomasi di Lampedusa: «tutti e due erano rasserenati, tanto dalla comprensione delle cogiunture politiche quanto dal superamento di questa comprensione stessa» (57).

Además de este planteamiento de metacomprensión propuesto por Lampedusa, se entiende, por otra parte, que la comprensión puede ser un estadio básico donde el sentido está visto como una versión y un traslado. Tan básico –el texto queda ahora en el mínimo y bajo mínimos– que quisiera verlo como un traslado de energía, en cuya trayectoria fundamental el sentido –sentido de la orientación y sentido de la significación son la misma cosa– versa desde lo que se da como referencia hasta aquello que se recibe en la forma de una comprensión atenta.

Así, la línea básica donde circula la energía del texto que voy analizar, la égloga primera de Garcilaso de la Vega, viene ya abierta desde el primer verso, pues éste bien parece un subtítulo y una definición de todo lo que surge después: el poeta viene a decir que el sentido de su poema versa sobre «el dulce lamentar de dos pastores». Venía sugerida esta noción de energía por Joan Ferraté, para quien, «todo [el] sentido [de los poemas de Píndaro] se halla en la energía espiritual de que brotan: la objetividad del poema remite a ella y se funda en ella; sin ese regreso el poema queda en un caos» (Ferraté, 91). La lección que se podría aprender de este aserto, y por lo que respecta al ejercicio poético de Garcilaso, es que 'todo su sentido se halla en la energía que brota de la misma objetividad de los poemas' –con esta lección evito la referencia a lo espiritual. Pero si se desglosa esta interpretación, cabe entender mejor qué es este traslado de energía y en qué modo puede dejar claro el «cómo» de la comprensión comentada al principio. Se toma *sentido* por todas las notas distintivas de significado que la comprensión y la atención del lector han extraído. La *energía* que se desprende del sentido es la capacidad de involucración o de agarre que tales notas poseen sobre la atención del lector. La objetividad del poema es la estructura de significación y sentido: hacia dónde éste se orienta desde lo que se da hasta aquello que se recibe. Trátase, en definitiva, de un ejercicio en el que inciden mutuamente –co-inciden–, la referencia de las palabras y la deferencia o atención con que lector y escritor se inclinan y «regresan» –Ferraté– a ellas. Todas estas definiciones precisarán de una buena discusión en este estudio.

Se puede arrojar más luz si se ve ahora esta inclinación o atención de escritor y lector en el sentido de una deferencia por ambas partes, e inclinadas a la referencia del texto. *Referencia* y *deferencia* indican ahora algo que se

81

transfiere, es decir, deferencia no es una energía espiritual que expresa sentimientos, más bien se trata de un movimiento básico de inclinación o una energía mental que se traslada (fero) sólo a aquellos cauces o puntos de significación de la referencia que involucran los significados. Referencia y deferencia, entonces, desde sentidos diferentes pero en la misma línea de recorrido, son una correlación que construye el sentido. La primera remite –se refiere– a un punto de significación, la segunda, como unidad primaria de atención que es, va y se llega hasta ese punto desde una actitud atenta hacia él para iluminar su significación. Concluyendo: el «cómo» de la comprensión es entendido como un ir y venir del sentido desde la referencia a la deferencia para crear esa tela de araña del texto en toda su objetividad.

El poeta, el Virrey, el lector; y sus deferencias

Todo esto dicho, el lector puede poner en claro el «cómo» de la comprensión y del sentido que tiene «el dulce lamentar de dos pastores», si es capaz de trasladar toda la energía de este verso por la línea de sentido a la que pertenece, y que se arregla como una referencia a la que se avienen las distintas deferencias.

La égloga primera viene diseñada en la línea de un «dulce lamentar», del que se despliegan varias perspectivas y deferencias que surgen al través; en otras palabras, el «dulce lamentar» es una condensación de esas referencias y deferencias. La primera en aparecer es la del propio poeta, que en la misma referencia del texto cuenta la forma en que desea acercarse a él: «el dulce lamentar de dos pastores / Salicio juntamente y Nemoroso / he de *contar*, sus quejas imitando» (Égloga I, 1-3: sigo en esta cita la lección de «contar» de la edición de Gallego Morell). Se trata de un acercamiento que se toma de forma personal («[yo] he de»). Y viene a decir que su particular deferencia o modo de recorrer ese «dulce lamentar» se construye como un *mester* literario («he de contar») consistente en imitar. Como también se hace de forma personal la segunda perspectiva que surge de este «dulce lamentar»; y que sobresale como una deferencia del propio poeta a su más inmediato interlocutor, el virrey de Nápoles, don Pedro de Toledo: «Tú, que ganaste obrando…» (7). He aquí una deferencia señalada y diseñada personalmente –«tú»–, pero esta vez en la perspectiva del ocio: «agora, de cuidados enojosos / y de negocios libre» (15 y 16). Ocio que se puede convertir también en un mester literario pues transcurre «en cuanto esto se canta» (41) para que el virrey tenga la oportunidad de diseñar por sí mismo su atención y deferencia hacia el texto («*escucha tú* el cantar de mis pastores», 42). Por lo que toca a «de *mis* pastores», el poeta vuelve a dar su toque personal haciendo evidente el círculo de su deferencia que va desde un YO deíctico que marca los pasos a un TÚ receptor, y que además señala y diseña como algo propio el espacio de imitación de sus personajes en un *mis* pastores y un *él* («Él, con canto acordado», 49). Pero con este toque personal de «*mis* pastores» no sólo se echa una firma, sino, sobre todo, se sugiere una definición muy básica de qué entiende el poeta por imitación: imitación, esto es, ejercicio de apropiación. Lo que quiere decir que en el caso de la Égloga II esto supone dar facilidades para hacer *mío* o *tuyo* el «dulce lamentar» (v.1) de «*mis* pastores» (v. 42). La imitación como forma de apropiación está desglosada muy bien por el filósofo italiano Manlio Sgalambro:

> Imitare significa dire a colui al quale ci si rivolge: io sono nelle tue mani. Abbandonarsi al suo pensiero ovunque ci porti. Ma soprattutto sentire la suggestione dell'opera come qualcosa da cui non possiamo difenderci[1].
> (Sgalambro, «L'imitatore di verità», *La consolazione,* 28.)

La invitación del poeta en la persona del TÚ del Virrey de Nápoles y su particular «agora, de cuidados enojosos / y de negocios libre» (15 y 16) pasa a ser una referencia universal al «ahora» del lector para que haga suyos el «dulce lamentar» en la fórmula poética de «cantar» («escucha tú el cantar»). La cita de Sgalambro sugiere el círculo de apropiación que se ha venido manejando desde el principio: para Garcilaso son «*mis* pastores», para el lector serían «[tus] pastores», es decir, apropiación de aquello que se entrega a modo de referencia y aquello por lo que uno se entrega a modo de deferencia, pues leer o «escuchar», si hacemos caso a Sgalambro, supone decirles al poeta y a su texto: «estoy en tus manos»; no hay escapatoria desde el momento en que se tiene la deferencia de aceptar la invitación. Imitación, pues, se puede definir desde un sentido muy básico: dejarse llevar por la energía del sentido siempre que se ponga de cada parte la voluntad y deferencia de escuchar y de hacer suyo lo que se le entrega. Imitación es la voluntad por parte del lector de formar parte activa en la creación, ya que sin su participación no hay facticidad de la obra literaria. La imitación, además, es un lugar de encuentro o *topos* donde la comprensión poética del lector encuentra una referencia y al mismo tiempo se apropia de ella como algo suyo. Encontrarse, como ya hemos visto, supone tocar aquellos filamentos de la referencia que interesan a la deferencia del lector, para después con ellos crear un entramadado de sentido y significación.

Así las cosas, el poeta antes de entrar en materia en el canto de Salicio, quiere asegurarse de todos los elementos de este círculo de apropiación e imitación personalizados en un yo y en un tú, y por eso quiere cerrar el último, que pasa a desglosar en la última estrofa:

> él, con canto acordado
> al rumor que sonaba
> del agua que pasaba,

se quejaba tan dulce y blandamente,
como si no estuviera de allí ausente
la que de su dolor culpa tenía,
    y así, como presente,
razonando con ella, le decía:
(Égl. I, 49-56)

El «dulce lamentar» en la perspectiva del *él* viene a ser un «canto acordado» con el tiempo físico del «rumor ... del agua que pasaba» o con la atención de las ovejas que, como «estaban muy atentas ... escuchando»(5 y 6), lo convierten en un «cantar sabroso». La perspectiva asignada al portavoz del canto –Salicio– consiste, por un lado, en proyectar una presencia inmediata en el trasfondo del paisaje («canto acordado / al rumor que sonaba / del agua que pasaba», 49-51), y por otro, es evidenciar una presencia hipotética de la ausente pareja amada («se quejaba [...] / como si no estuviera de allí ausente, / la que de su dolor culpa tenía / y así como presente, / razonando con ella, le decía»). Y así, desde esta presencia hipotética de la ausente pareja se despliega la palabra como articulación lógica y como queja, esto es, como razonar un caso de amor. Así pues, el círculo de la imitación y de la apropiación queda cerrado por un «él» –donde están puestas las miradas de escritor y lectores y lectoras– que hace suyo también el «dulce lamentar» en la forma de un «canto acordado». Pero además esta proyección de una presencia inmediata en el trasfondo del paisaje añade una dimensión estética y de belleza en la que el lector está invitado a participar: «acordado», desde esta dimensión, tiene el sentido de acuerdo y armonía de las formas que aparecen pintadas en un paisaje.

«Dulce y blandamente»: *ethos* del poeta, *pathos* del lector

Poeta, virrey, lector, cada uno se acerca desde su propia deferencia al hecho fundamental del «dulce lamentar» y del «canto acordado». Esto se lleva a cabo «dulce y blandamente». ¿Podría ser «dulce y blandamente» una expresión retórica estereotipada? O más bien, si es algo más básico, ¿expresa el «cómo» de la comprensión que se solicitaba al principio en la propuesta de Lampedusa como «superamento di questa comprensione stessa»? La deferencia, consigna Moliner, es «amabilidad y atención». Y para el caso particular de la égloga sería un modo amable de atender a las cosas, de apropiarse de las palabras en actitud de imitación, tal y como antes la he definido; de lo contrario sería alejarse o rechazarlas. En este sentido, el adjetivo «dulce» y los adverbios «dulce y blandamente» podrían reflejar este estado de atención, que además se puede aclarar mejor en el carácter retórico que posee tal expresión; a mi modo de ver, no estereotipada o cristalizada, todo lo contrario, más bien viva si tenemos en cuenta la definición más elemental de retórica. 'Retórico' tiene el giro que Aristóteles le da en su *Retórica* (§ 1377b): que es, no la expresión de una fórmula que actúa como un cascarón vacío sino la posibilidad de mostrar un *ethos* por parte del escritor y un *pathos* por parte del lector. Hay que recordar a este respecto la dimensión existencial que Heidegger encuentra en la *Retórica* de Aristóteles: «la primera hermenéutica sistemática de la cotidianeidad del Ser, en tanto que ser uno con otro» *(SuZ,* § 29); desde esta dimensión es difícil circunscribir la retórica a un mero formulario de recursos. En este sentido, en «dulce» y «blandamente» vendrían a coincidir un *ethos* y un *pathos* que lector y escritor traen de la mano de su propia deferencia e inclinación; no en vano este adjetivo es la primera clase de palabra con que topamos en el poema. *Ethos* y *pathos* podrían ser, entonces, la responsabilidad que, en la imitación, tiene cada uno de secundar el texto desde el puesto en que se sitúa (escritor, virrey, lector). Responsabilidad tiene aquí el sentido básico de respuesta y seguimiento, de «ponerse en manos de», en buena expresión de Sgalambro.

El diseño: un caso de imitación

Reitero: la imitación podría realizarse en el marco de una deferencia que es un modo y un «cómo» amable y atento de acercarse a las cosas y a las palabras. Pero esta deferencia ha de concretarse en una manera de contacto o conocimiento de las cosas. Esto supone plantear la pregunta sobre en qué disposición determinada se realiza el hecho de «imitar sus quejas». Y este estadio previo del acercamiento viene analizado por Heidegger, para quien, a la vez que existe una inclinación o atención hacia cualquier objeto, se diseña de antemano una red de puntos por los que tocarlo. Vale decir, un diseño *(Vorhabe: SuZ,* §32*)* que nos permite agarrar el referente por aquellos puntos que, en el marco de una inclinación (deferencia en términos nuestros), tocan, interesan o llaman la atención. El diseño, pues, ahora trasladado a términos literarios, sería el trazado concreto por el que se envuelve y se desenvuelve la atención o referencia, en definitiva, una estructura de involucración que lleva de ante*mano* («sono nelle tue mani») a las palabras y a los objetos en actitud de apropiarse de ellos. Involucración, porque este trazado se hace desde la deferencia de entregarse en las manos del texto.

Así las cosas, ¿qué quiere decir «imitar sus quejas»? ¿Es esto una aclaración explícita de cómo diseñar el hecho y la palabra poética? Garcilaso y los poetas de su tiempo pretenden imitar casos de amor, que en aquella época se planteaba en términos de «razonamiento», entendido éste desde la acepción de *ragionamento* como conversación o diálogo y como acto de razonar para llegar a una conclusión desde un procedimiento y argumentación lógicos. Razonar casos de amor supone para poeta y lector el regodeo de meterse en un hilo discursivo de argumentación sentimental y es acceder a una línea de introversión donde se reconstruyen los hechos pero desde la racionalidad de un esquema filosófico y antropológico determinado; un modelo clave de razonamiento introvertido es *La Vita Nuova* de Dante. Es decir, que «imitar sus quejas» trae consigo diseñar el «dulce lamentar de los pastores» –para Salicio en primer lugar– por unos puntos concretos de razonamiento: «él, con canto acordado / […] se quejaba tan dulce y blandamente / […] y así como presente, / *razonando* con ella, le decía:» (Égl. I, 49-56). Por eso, el discurso poético que cae en manos del lector está «acordado», en el sentido de convertirse en razonamiento amoroso o «canto acordado» con el tiempo presente de la naturaleza. Ésta sirve de trasfondo para dar inmediatez a otro tiempo hipotético –«como presente»– de una privación, la ausente pareja amada. A este acuerdo de tiempos se suma un *tempo* o tiempo de introversión que discurre «dulce y blandamente». Por ello, con «canto acordado» se quiere significar, a ojos vistas –como primera impresión o hecho bruto (*Vorhanden,* en Heidegger)–, la mediación entre algo mediato y algo inexistente en la que se origina un traspaso de energía que se hace en un *tempo* dulce y tranquilo. Ahora bien, este es el planteamiento «a ojos vistas» o el primer hecho bruto, es decir, el más inmediato referente o guía de razonamiento que se da al lector para que entienda el proceder de Salicio.

Pero también se podría leer «acordado» en el marco básico de una deferencia capaz de diseñar de algún modo este razonamiento desde un trazado bien concreto. Trazado que, puesto en términos filosóficos, podría ser, en aquella época, resultado del puro ejercicio de la razón –ya lo he señalado– que permite crear un discurso interior y un discurso poético a través de la combinación de universales ya preestablecidos. En la filosofía aristotélico-tomista el alma entra en funcionamiento por el entendimiento y la voluntad, siendo el primero la combinación de juicio y razón, y el juicio la capacidad de aplicar los universales a situaciones y objetos percibidos en el acto. La imitación del «canto acordado» de Salicio o del «dulce lamentar» introductorio consistiría, pues, en la elaboración de un canto donde cada nota concuerda con sus universales en el sentido de que a cada punto poético acude una correspondencia razonada o un universal. Este modo de percepción que construye coordenadas –como hipótesis para aquella época– se aclara muy bien desde el principio aristotélico de que la sustancia permanece aunque haya un cambio de cualidad, y el tomista de que la aprehensión intelectual de las cosas consiste en extraer de ellas, que son cambiantes, formas inmutables («Et propter hoc nihil prohibet de rebus mobilibus immobilem scientiam habere»: 'y porque nada impide tener conocimiento inmutable de cosas mutables', *Summa* 1, 84 a.1, ad 3).

Lo que supone que el diseño con que el lector o el escritor renacentistas quieren agarrar ese «dulce lamentar» introductorio podría consistir en traer al discurso las formas inmutables del paisaje («rumor … del agua»), o los universales –no variables– de toda argumentación o razonamiento en sus distintas fases de *inventio - dispositio - elocutio - actio.* Como ha señalado Rafael Lapesa, Garcilaso aprende de Sannazaro esta técnica de traer lo que he denominado las formas inmutables e ideales del paisaje, que se manifiesta sobre todo en el epíteto[2]. En definitiva, el diseño previo por el que discurre la deferencia consistiría en que cada elemento se instala con justeza en el lugar debido, en el casillero que razón y juicio le han asignado, cada nota significativa tiene su correspondiente razonado. Con ello se ha producido un paso de energía entre lo que era el «dulce lamentar» como hecho bruto y a ojos vistas y lo que es el resultado como «canto acordado … dulce y blandamente» en pleno ejercicio de introversión encauzado por la racionalidad.

No está de más poner un ejemplo, que es un modelo en este caso, de este tipo de diseño razonador. Dante en *La Vita Nuova* no hace más que razonar y trasladar energías en el linde de la ausencia física, que se queda en la presencia mental de la imagen de la amada, imagen retenida en la fantasía y en la memoria (en aquella época vistas como cavidades del cerebro, según la antropología aristotélico-tomista). Conviene recordar que tal imagen *(species* o *phantasma)* forma parte de una especulación racional donde el entendimiento agente es una especie de luz que permite ver (con la inteligencia posible) las ideas (universales), extraídas de las imágenes o fantasmas individuales[3]. Con este diseño previo se puede leer mejor la cita:

> E avegna che la sua imagine, la quale continuatamente meco stava, fosse baldanza d'Amore a segnoreggiare me, tuttavia era di sì nobilissima vertù, che nulla volta sofferse che Amore mi reggesse sanza lo fedele consiglio de la ragione in quelle cose là ove cotale consiglio fosse utile a udire[4]. (Dante, *Vita Nuova*, 4.)

La tradición aristotélica y escolástica asigna a la virtud lo honesto , y esto a su vez es lo que la razón busca[5]. Pues si amor busca lo honesto y la virtud, éstos serían, entonces, los universales que la razón tiene que aplicar en cada paso del razonamiento amoroso. A este respecto baste recordar el inicio de la égloga tercera de Garcilaso: «Aquella voluntad *honesta* y pura,/ ilustre y hermosísima María […] está y estará tanto en mí clavada, / cuanto del cuerpo el alma acompañada» (Égl. III, 1-8) Amor, pues, es apetito racional, es decir, colocar con justeza cada elemento de la introversión en su sitio adecuado, o bien, como diría Tomás de Aquino, aprehender las cosas en su estado no variable, extraer de las cosas materiales y cambiantes, sea desde la sensación como desde la intelección, lo inmutable.

Este podría ser precisamente el diseño que guía a la imitación como traslado de energía que se hace desde lo mutable a lo inmutable.

«Expresión, mejor que *imitación»*

En principio, el diseño previo que pudiera haber adoptado Garcilaso es la imitación en el trazado aristotélico-tomista que he avanzado como hipótesis.

Sin embargo, volviendo a una concepción más amplia de imitación como la deferencia de entregarse en la manos del texto para desplegar desde él todas las significaciones, parece posible montar otros diseños y aproximaciones. Pues conviene reiterar que la deferencia es una forma de aproximación por parte de lectores y lectoras que ya está inscrita en la referencia del texto. En la imitación al estilo renacentista, los puntos involucradores han sido los universales y la concepción de las cosas desde un estado de inmutabilidad guiada por «lo fedele consiglio della ragione». Pero, ¿por qué no dejarse involucrar por el texto desde un diseño menos racional para desplegar otras significaciones que parten del referente? Así, si secundamos a M. H. Abrams, cabe encontrar una fórmula opuesta a la racionalidad, que quedaría en: *«Expression we say, rather than imitation»* (expresión diríamos, en vez de *imitación,* 49), en el sentido de que la idea platónica (que también vale para el universal aristotélico y tomista)

> was translocated from its changeless domicile beyond the moon into the tumultous milieu of human passions, or even, into the strange depths of the unconscious abysm of the mind[6] (*The mirror,* 44).

Es decir, que si para los poetas y filósofos renacentistas la mente es el invariable domicilio del razonar, para los románticos y modernos, la mente es la irracionalidad. En esta línea, se puede argüir que es concebible una imitación sin el consejo seguro y fiel de la razón, si atendemos a esta definición de Carlos Bousoño:

> El poema, a imitación y como expresión de lo que ocurre en el alma del hombre, consistiría también en un fluir, más o menos evidente, de estados de conciencia cambiantes que se desenvuelven en el tiempo. (*Teoría de la expresión,* 25.)

De nuevo, y tras los pasos de la égloga primera, cabe interpretar el adjetivo de «dulce lamentar» y los adverbios «dulce y blandamente», o bien como un diseño que circunscribe el «lamentar de dos pastores» y el «canto acordado» en un recinto universal e invariable desde el que se desenvuelve la queja amorosa; o bien como un diseño expresivo donde tales adjetivos quedarían como expresión de un acto sincero que procede de «lo más profundo de la mente», o simplemente , como la expresión de «un estado de conciencia»; la expresión, tal y como la entiende Bousoño, puede ser muy apropiada ya que en Garcilaso la encontramos como el perfecto equilibrio de razón, sensibilidad o vocación retórica y voluntad. Por eso se abre la posibilidad de acercarse a Garcilaso en una deferencia-diseño más modernos donde se consideran las significaciones desde «un espíritu excepcionalmente dotado» y como «una materia poética [que] está construida por las vivencias de un espíritu agitado entre impulsos contradictorios, sumido en doliente conformidad o refugiado en sueños de hermosura» (Rafael Lapesa, *Trayectoria,* 175). Lo que equivaldría, si aplicamos la opinión anterior de Lapesa dentro del texto que estoy comentando, a leer «dulce y blandamente» como «doliente conformidad», en el sentido de que el centro de la materia y objeto poético es una «vivencia». Esta lectura no tiene por qué entrar en conflicto –dado que todo parte y se genera desde el texto– con un diseño imitativo y universal muy bien visto en aquella época y ahora. En aquella época, como es el caso de Herrera, a quien atrae la égloga primera por «la pureza y sencillez y blandura y propiedad de lengua que se ve en ésta» (*Garcilaso y sus comentaristas,* H-423, 475). Y por eso, la sugerencia vendría ahora en leer «dulce y blandamente» como la «blandura y propiedad de la lengua», en la línea de que la lengua es una dimensión invariable donde cada cosa está en su sitio, es decir, cada elemento se inserta con justeza (pureza y propiedad) según la realidad inmutable o universal de la que es portador. Así pues, tenemos que, para el caso moderno, la lengua es expresión de un estado variable y para el caso antiguo, la lengua es extracción e imitación de un estado invariable.

Pues si ambas operaciones son factibles y se despliegan desde la palabra poética de Garcilaso, no cabe descalificar la opción expresiva por alejarse de los postulados más racionalistas de autor o de época, o desprestigiar la opción imitativa al estilo renacentista por ser filológica o arqueológica. Garcilaso es un precedente antes de la separación de la dos opciones anteriormente comentadas: en él no hay tanto la expresión en el sentido «abisal» de los románticos, pero sí se observa que está cerca de la expresión definida por los neoclásicos empeñados en dar sentido a lo «dulce» (Horacio: *dulci),* al *delectare* de Quintiliano y al *gustus* y *nescio quid* de Cicerón, o al «gusto» de Gracián[7].

Sin embargo, mi cometido es más detenerme un momento sobre esa facticidad del texto que da lugar a diferentes lecturas y opciones, en definitiva, reflexionar sobre las coordenadas básicas que llevan a desplegar perspectivas diferentes, o sobre el «cómo» que lleva a comprender el texto desde varias opciones. Se hace oportuno de nuevo recordar y colocar *«dulce* lamentar» y «se quejaba *dulce y blandamente»* en el meollo de la comprensión misma y su entera facticidad, que se resume en los movimientos básicos ya discutidos al principio: la capacidad de llamada y de involucración –la energía– que el texto tiene como referente, y el otro, la voluntad de aproximación, dicho de otro modo, la deferencia que el lector tiene hacia el texto para dejarse tocar por sus puntos involucradores.

Quiere decir que «dulce y blandamente» se presenta en el texto como un *estado* de cómo están las cosas en la escritura y en la lectura, y no son sólo un *topos* literario o retórico; son sobre todo un *lugar* de encuentro donde escritor y lector se acercan a la palabra poética desde una predisposición básica («dulce y blandamente») para dejarse en manos del texto. Una vez que existe tal deferencia es posible negociar los términos de cómo va a discurrir el hecho poético, sea por imitación sea por expresión, sea por otros medios. Por eso, me parece oportuno defender la democracia –témino desgastado y no del todo apreciado– del hecho literario en el sentido de que el poder del texto está primero en la inclinación o estado de acercamiento hacia él *(ethos y pathos)* y, después, en la negociación o constitución de aquellos puntos que autor, lector y texto establecen; sin estos puntos la constitución y negociación se queda en papel mojado y la obra literaria, ininteligible y opaca («works remain opaque to those who have not assimilated the appropriate conventions», Culler, «Prolegomena...», 52-53: «las obras se quedan opacas para aquellos que no hayan asimilado las convenciones apropiadas»). El texto queda, pues, definido como un *topos,* no en el sentido retórico tradicional, sino en el sentido ontológico o creador de ejes constitutivos y básicos. El texto es un lugar de encuentro cuya facticidad y comprensión estriba en un estado de inclinación previa («dulce y blandamente») que genera a su vez en su verso y reverso un diseño con el que seguir hacia adelante. El problema queda ahora en dilucidar la cuestión del estado en que se orienta la deferencia o inclinación al texto.

Una cuestión de «estado»

La deferencia es un estado que se entenderá mejor desde «El secreto de Garcilaso» de José Lezama Lima:

> Cuando Garcilaso se acerca a las variaciones expresivas del paisaje, al detalle gráfico [...], se limita a reproducir con justeza, haciendo así al paisaje lo más detenido posible en su afán de linealidad, pero al margen de ese torcedor poético, diluir el momento del paisaje en la fugacidad anecdótica del estado de ánimo (85 y 86).
> Como si el paisaje se diluyese sigiloso en el estado de ánimo variable (84); sobre el deslizamiento de un material semejante producir la magia de un estado de ánimo receptor (85).
> («El secreto de Garcilaso», 84-86)

Tenemos delante de los ojos un «torcedor poético» en el que se puede identificar desde la más pura racionalidad cada elemento que ha sido encajonado con justeza allí donde los códigos universales de descripción lo precisaban, es decir, «un seguro paseo renacentista en el que la mirada se agarra de estatuas prefijadas» («Secreto», 75), o más bien «un manso discurrir [que] supone la presencia del paisaje con el adjetivo de poco atrevimiento en el bautizo» (76). Las raíces de este punto de vista de Lezama sobre el paisaje se encuentran en los paisajes del simbolismo. Ahora bien, la lectura más objetiva y básica que se puede aprender de Lezama es que los lectores y lectoras han de superar ese «torcedor poético» que es el texto y el objeto ante los ojos para entrar en una línea de comprensión más profunda, o como sugería la cita de Lampedusa, un «superamento di questa comprensione stessa». Es decir, que la referencia a un «estado de ánimo» lleva a situar un marco de deferencia donde los objetos y las palabras no se conocen asépticamente desde la pura racionalidad, sino que se comprenden desde un estado envolvente de afección. Lo que equivale a comprender las significaciones en el modo en que son integradas en una anécdota del estado de ánimo o una «fugacidad anecdótica del estado de ánimo» en que uno se acerca a él. En la forma la lectura de Lezama puede parecer subjetivista, pero en el fondo y en lo básico ésta se despliega del texto que nos apela y, por lo tanto, nos educa para que encaucemos la «afección anecdótica» por la deferencia en el camino que el texto nos marca. Por otra parte, creo que este acercamiento básico viene reinvindicado por Garcilaso: «mas a las veces son mejor oídos / el puro ingenio y lengua casi muda, / testigos limpios d'ánimo inocente, / que la curiosidad del elocuente» (Égl. III, 45-48); donde la palabra poética es estado de ánimo que recorre las significaciones en ese momento crítico de estado de gracia del poema, es decir, ese «puro ingenio» o de «lengua casi muda» de querer formular aquello que la lengua te permite decir. Pero eso se hace preciso aclarar desde una definición más detallada qué podría conformar lingüísticamente un «estado de ánimo».

Heidegger y Lezama Lima van de la mano, el primero desde la definición rigurosa, el segundo desde la intuición poética. La lección heideggeriana consistiría en que, en efecto, uno se acerca a las cosas no desde un puro conocimiento aséptico y racional sino desde un «estado de ánimo» que no es ni mucho menos una forma de marcar las cosas con un sentimiento exterior a ellas como muy bien pudiera suscitar una lectura de «animo inocente» desde un planteamiento enteramente expresivo. Estado es para Heidegger *Befindlichkeit*, esto es, el único modo de constituir y dar toda su objetividad a las cosas, pues se trataría de una experiencia previa a todo conocimiento que consiste en reunir o encontrar *(–find–)* las notas distintivas de un objeto –o de nuestro ser– según éstas importen, afecten, toquen. Los estados de ánimo particulares son derivaciones de ese estado de ánimo general o básico de la *Befindlichkeit* o estructura ontológica anterior a todos ellos.

En definitiva, tocar las cosas y las palabras equivale a crear una red de encuentro donde los elementos significativos –las mallas del sentido– son constituidos en la medida en que afectan en el marco de un estado de ánimo impreso ya en el objeto y en el sujeto. Desde esta definición se puede comprender muy bien la lectura tan original de Lezama Lima, quien no se cansa de repetir su idea de «estado de ánimo» como «torcedor poético» del sentido: «el resultado final se adquiere en la ambientación, en el estado de ánimo» (76), o bien, «la frase poética obliga a creer forzosamente en la ambientación final, como único recurso del discurso sensible» (85). Por eso, en el caso concreto de la égloga primera, «dulce y blandamente» es precisamente el tono y el estado de ánimo que da ambientación y objetividad al poema y que lo pone en los puntos de la «trama» anecdótica la cual encuentra y reúne al objeto. Cuando Lezama se refiere a que «la frase poética *obliga* a creer *forzosamente* en la ambientación final», se puede inferir que este autor supera el subjetivismo para hacer protagonista al texto mismo.

El temple del estado: «Cuando me paro a contemplar mi estado»

Pero este acercamiento no es pura elucubración de un poeta que busca el secreto de otro poeta o de un crítico pertrechado de definiciones ontológicas. Hay que dejar que la obra hable por sí misma: pues, ¿no es este estado una propuesta previa y un prefacio de toda la obra?

> Cuando me paro a contemplar mi estado,
> y a ver los pasos por do me ha traído,
> hallo, según por do anduve perdido,
> que a mayor mal pudiera haber llegado;
>   mas cuando del camino estó olvidado,
> a tanto mal no sé por dó he venido;
> sé que me acabo, y más he yo sentido
> ver acabar conmigo mi cuidado.
> (Soneto I, 1-8, edición de Gallego Morell)

En la expresión «cuando me paro» se alude explícitamente al punto en que se sitúa la facticidad del poema pues «me paro» expresa una acción presente y un significado que indica detención en el tiempo. Pero además, implícitamente, el tiempo donde ocurre y se despliega esta detención parte de un *continuum* temporal, pues el hecho de pararse implica en este caso no interrupción sino apertura de actividad en el futuro –hacia adelante– y reconocimiento de acción en el pasado –que venía delante–. Que es un *continuum* lo avala también el hecho de que este cruce de un punto presente y de una línea continua ha resultado ser un hecho reincidente, pues con «cuando me paro … hallo» se quiere expresar también 'toda vez que me paro … hallo'. Y si se lee todo el verso inicial «cuando me paro a contemplar mi estado», ocurre que el punto presente preciso y finito de «me paro», que quedaba inscrito en una línea de suceder, abre por sí mismo la proyección temporal infinitiva que implica «contemplar»; infinitiva en el sentido de que esta acción no tiene límites pues el tiempo queda suspendido, diríamos como en puntos suspensivos.

Y por eso, hacer un alto en los significados de «me paro» podría aclarar el sentido de la suspensión: el puro y simple hecho de 'detenerse' coloca a ese puntito en un estado bruto, mientras que el de «me paro» como hecho reflexivo de 'poner a uno en un estado diferente del que tenía' (por ejemplo: «ponerse pesado»), esto es, 'ponerse [en un estado]' («pararse», *Casares*), sitúa ese puntito presente en un estado contingente o tocado por una posibilidad. Y así, «ponerse a contemplar» significa abrir una dimensión sintetizadora en la que el estado de 'ponerse' hace posible juntar en un todo, como en una síntesis, aquellos puntos suspensivos temporales y espaciales que comprende la actividad infinitiva de contemplar, acción que por ser infinita y pertenecer a un estado queda desconectada de tiempo y aspecto concretos, queda suspendida en el tiempo –de una totalidad–. Entonces, «cuando me paro a contemplar mi estado» se traduciría en 'cuando me pongo en el estado de reunir en un todo aquellos puntos que componen el estado en que me encuentro', esto es, 'cuando me pongo en el estado de contemplar mi estado'. Se sugiere aquí un estado de comprensión de la comprensión o de «superamento di questa comprensione stessa» (Lampedusa).

Para resumir, el recorrido que se propone en el verso primero es el siguiente: *continuum* temporal desde el que lector y poeta proyectan un punto presente –«me paro»– que en principio es el *factum brutum* de detenerse, pero después supone la apertura de una dimensión infinita que se descuelga de toda contigencia temporal bruta para suspender en una sístesis o encontrar en un todo infinito cuantos puntos vayan apareciendo en la actividad de contemplar. Ya en lo último, el sustantivo «estado» subraya el carácter sintetizador de este recorrido y connota, por su origen como participio de pasado, el sentido de devenir y el *continuum* en que el lector se mueve.

Situación muy parecida, tanto por el contenido como por ser los versos preliminares de sus obras, la encontramos en los dos Jorges, salvando las distancias, Manrique y Guillén:

> Recuerde el alma dormida,
> abive el seso y despierte,
>   contemplando
> cómo se pasa la vida
> cómo se viene la muerte
>   tan callando.
> (*Coplas*, 1-6)

Recordar significa «despertar el que duerme, o bolver en acuerdo» (*Cov.*). Quiere decir que se exhorta al alma, que dirige todas las funciones de la vida (vegetativa, sensitiva y racional), a que deje el estado de letargo o inconsciencia de las circunstancias del *continuum* en que vive, y sea consciente y capaz de conectar y dar vida de nuevo a ese *continuum* de «cómo se pasa la vida», para desde aquí marcar un punto bruto presente («recuerde») que le permita «bolver en acuerdo», es decir, reunir en un todo sintetizador todos los puntos que vaya encontrando en la actividad, también suspendida en un infinito (gerundio: «contemplando»), de contemplar.

El *seso* precisamente es la facultad de captación que ayuda a tangir ese *continuum,* vale decir, el *sensus,* «juizio, cordura» (*Cov.*) para tocar y volver en acuerdo.

Y en lo que respecta a Guillén:

> (El alma vuelve al cuerpo,
> Se dirige a los ojos
> Y choca.) –¡Luz! Me invade
> Todo mi ser. ¡Asombro!
> (*Cántico*, 1-4)

El alma hace resurgir el *continuum* en que vive sólo desde el preciso instante en que abre sus sentidos en un determinado punto presente en que «choca». En ese paréntesis «(…)» y en esa coincidencia bruta de una línea de devenir (alma) y de un punto presente (cuerpo) se despliega un tiempo suspendido que reúne lo encontrado en un todo sintetizador: «todo mi ser»; la fórmula es: alma (línea)+ cuerpo (punto)= ser (síntesis). Y de nuevo, la actividad infinita y sustancial que permite reunir y suspender los puntos es la contemplación («se dirige a los ojos») en la forma de «¡Asombro!» Esta actividad sustancial lleva como reverso una dimensión estética que la sostiene, que es el particular idiolecto literario de Guillén.

En los tres ejemplos y en los tres poetas, además, el «estado» de contemplación permite llegar a cada uno a un hallazgo: «cuando me paro a contemplar … *hallo*», «recuerde el alma … contemplado … *cómo se pasa* la vida», «el alma vuelve al cuerpo … ¡*Luz! Me invade* / Todo mi ser». Pero si se quiere llegar a la naturaleza de este hallazgo, será preciso meterse de nuevo en la trama del hilo del sentido en el soneto que nos ocupa. Estábamos en el primer verso donde la última palabra era «estado», que denotaba una acción sustantiva y connotaba, por su origen de participio y por su significado, un devenir, ya que estado sería algo a lo que se llega. El verso siguiente añade pocas pero significativas notas a la trama del sentido: se trata del paso de «me paro a contemplar mi estado» a «[me paro] a ver los pasos por do me ha traído». Más afortunada parece la lección «por do me ha traído» en vez de «me han traído», por el paralelismo sintáctico y semántico: «cuando me paro a + *contemplar* mi estado = *ver* los pasos por do me ha traído» donde «estado» y los «pasos por do [mi estado] me ha traído» son la misma cosa, es decir, Garcilaso está dando la definición de «estado», que sería 'los pasos por donde me ha traído mi estado'; con lo que gramaticalmente se hace justicia al origen de participio pasado de estado: estado, algo a lo que se llega. Y además, tal opción textual parece más afortunada porque las dos estructuras vienen a decir lo mismo: estado y los pasos de tal estado reflejan un tiempo suspendido en una totalidad que se convierte en la línea de referencia donde hay un recorrido por la totalidad sintáctica y semántica de la frase sostenedora del hilo del sentido. Ya al final de este verso se deja en suspenso en qué tipo de estado está sumido el poeta.

Llegados al tercer y cuarto verso, por fin se da, primero, el núcleo de la oración («hallo»), segundo, una contingencia y el signo claro de que esos «pasos» son 'pasos perdidos' («según do anduve perdido») y, finalmente, el resultado del hallazgo y la naturaleza o contingencia del estado («que a mayor mal pudiera haber llegado»). Con este hallazgo del mal en su devenir de menor a «mayor», vuelve a relucir el *continuum* en el que estaban proyectándose ese minuto bruto y presente y ese estado sintetizador y de suspensión de «me paro». Pero ahora tal *continuum* está tocado pues, por otra parte, si «estado» en principio era algo infinito («contemplar») y sustancial, ahora se convierte en algo enteramente contingente, mediado y adjetivado, pues se trata de un estado *de* «mayor mal».

El temple del estado: la contemplación

Una vez hecha la lectura muy de cerca de este cuarteto, ¿qué se puede inferir del análisis? Parece que ahora se está en estado de responder a la pregunta sobre la naturaleza del «estado» dentro de la discusión abierta en torno a la comprensión y el «cómo» en que ésta se realiza y se «supera». Para Lezama Lima el secreto consistía en que un «estado de ánimo» recorría el texto donde cada elemento estaba prefijado por una adjetivación ya adquirida. En lo que toca a la definición heideggeriana, había un estado de ánimo que consistía en una experiencia previa a todo conocimiento concreto el cual se encuentra en un marco de afección o está siempre afectado. En ese marco se descubren las cosas y su diseño particular.

El verso de Garcilaso «cuando me paro a contemplar mi estado» parece importante porque precisamente está creando un marco de toda la obra consistente en lograr un *topos* o lugar de encuentro, es decir, un estado de ánimo que permite reunir y suspender en el tiempo infinito de la contemplación cuantas significaciones aparezcan en el verso. Y en este sentido hay que tomar muy en serio el comentario de Herrera sobre que este verso es «prefación[8] de toda la obra y de sus amores, y proposición con la contemplación y vista de lo presente y pasado» (*Garcilaso,* 315).

Por eso merece la pena reabrir la discusión volviendo sobre la noción de estado, pero esta vez relacionada con la de contemplación. Esta última viene así definida en la moderna teoría de la expresión poética:

> Los contenidos anímicos reales sólo se sienten; pero la poesía no comunica *lo que se siente,* sino *la contemplación* de lo que se siente, contemplación que, a su vez, repito, nos hace o puede hacernos reaccionar emotivamente en una determinada dirección (Bousoño, *Teoría de la expresión,* 20).

La definición de contemplar como «reaccionar emotivamente en una determinada dirección» se puede entender como la concreción en el sujeto de la *Befindlichkeit*. Esta es sobre todo un estado en que se encuentran las cosas según afecten y toquen, es como una reacción básica que se origina en el primer contacto con las palabras y las cosas, y que crea a su vez un marco en que éstas son encontradas.

Se puede traducir *Befindlichkeit* como 'temple' ya que el conocimiento viene atemperado por una actitud primera que las encuentra en una determinada dirección. Para el texto que nos ocupa, el temple, actitud o «estado» que se contempla toma la determinada dirección de un mal estado o malestar: «que a mayor mal pudiera haber llegado». Y por eso con*templar* en su definición más básica y etimológica es dar un *temple* o un estado en que se encuentran las cosas.

Contemplar es mirar las cosas pero ya desde un marco previo que es la reacción que se toma ante ellas y que en Garcilaso es de «mayor mal» o malestar. Por eso, difiero ahora de la definición de Bousoño de que poesía «no comunica *lo que se siente,* sino *la contemplación* de lo que se siente», pues ya en sí contemplar es «lo que se siente», vale decir templar lo que se siente; o más bien, que tocar las significaciones trae consigo el hecho de atemperarlas en el estado en que son encontradas; darles, pues, una determinada dirección o signo. En el caso de Guillén, el «alma [...] se dirige a los ojos» no en un estado neutro sino desde un temple que todo lo toca desde la determinada dirección del «asombro» o bienestar. En el de Garcilaso el hallazgo («hallo...») y el encuentro (*-find-: Befindlichkeit)* consiste en reunir todos los «pasos» en un primer estado de suspensión infinita, que se define después como un estado de «mayor mal», un mal estado o malestar. Y en el de Manrique la contemplación se hace desde un *sensus* o *seso* que todo lo toca y acuerda en un estado de despertar («avive el seso e despierte»).

Todo esto visto, parece más claro el camino para encontrar el meollo de la facticidad del texto y de la comprensión. La energía de la comprensión consistirá en un traspaso de velocidades: la del texto como referencia que llama a ser prendido o comprendido –o apropiado– y la del lector que lo agarra por aquellos puntos que la deferencia o atención toca con sus manos. Pero tal comprensión no se hace asépticamente pues las palabras poéticas se contemplan, es decir, se reciben en un estado o temple que todo lo atempera en el momento en que lo toca, que todo lo suspende en el preciso lugar de encuentro de la palabra. Poesía, por consiguiente, es recibir en un estado las significaciones y versarlas en un sentido; precisamente, ésta es la propuesta de «cuando me paro a contemplar mi estado». Pero esta definición no debe alejarnos del centro donde se genera este estado, que es el texto: el poema antes de ser escrito llama o pro-voca al poeta a escribir desde un estado que encuentra las palabras y significaciones; el texto, una vez escrito, interpela al lector desde el temple o estado que generan las palabras y las significaciones. En consecuencia, por encima de la versión que cada uno tenga de un determinado poema, está la con-*templa*ción o el estado *con* que éste viene a las manos y es recibido por el lector. En este sentido, Heidegger deja claro que «en el discurso poético la comunicación de las posibilidades existenciales del estado de ánimo de cada uno puede convertirse en un fin en sí mismo» (*Sein und Zeit,* § 34), y este hecho es precisamente lo que Garcilaso está anunciando como «prefación» (Herrera) de toda su obra en «Cuando me paro a contemplar mi estado». Y por este hecho singular la poesía de Garcilaso se muestra en estado vigente –moderno para algunos– pues supone la reivindicación de un acto individual –humanizador– que va por encima de imposiciones retóricas y lenguajes adquiridos. Y es así que el ejercicio de imitación no queda sólo en traer aquí y allá los universales, las autoridades y citas concedidas y recordadas por y en el tiempo. Imitación es un acto de deferencia por parte de poeta, lectora y lector, cada uno en su puesto, que supone «ponerse en manos» (Sgalambro) del texto en un estado de ánimo que todo lo toca y lo recorre para convertirlo en una trama anecdótica (Lezama) que se presenta como un lugar de encuentro donde se versa el sentido y las significaciones.

NOTAS

[1] «Imitar significa decir a aquel al que uno se dirige: «estoy en tus manos». Abandonarse a su pensamiento donde quiera que te lleve. Pero sobre todo sentir la sugestión de la obra como algo de lo que no podemos defendernos.» (Traducción mía.)

[2] «Garcilaso hizo suyo el mundo pastoril de Sannazzaro [...]. Uno de los rasgos en que la *Arcadia,* juntamente con sus modelos clásicos, hubo de influir más, fue la adjetivación. En Sannazzaro la abundancia de epítetos y superlativos, que los españoles del siglo XVI encontraban excesivo para la prosa, tenía una honda razón de ser: el *drittissimo abete,* la *robusta quercia,* el *noderoso castagno,* el *fronzuto bosso,* el *ombroso faggio,* el *fragile tamarisco* ostentan destacadamente la nota característica gracias a la cual han sido admitidos en el cuadro de la naturaleza idealizada», Rafael Lapesa, *La trayectoria...,* 95 y 96.

[3] Vease Tomás de Aquino, *Summa* 1, 84, 1, y Agamben, 117-213.

[4] «Y sucedía que su imagen, que me acompañaba continuamente, fuera de tan noble virtud y naturaleza que, a pesar de adueñarse de mí por el poderío de Amor, nunca me gobernó sin el fiel consejo de la razón en aquellas cosas en que tal consejo resultaba provechoso.»

[5] «in eo quod est honestum: in quo nemo dubitat esse virtutem», 'en aquello que es honesto, en lo cual nadie duda que exista la virtud'. Véase Dante, *De vulgari eloquentia,* L. II, c. II, 6 y 7.

[6] La idea platónica «era trasladada desde su invariable domicilio más allá de la luna hasta el medio tumultuoso de la pasiones humanas, o incluso, hasta las extrañas profundidades del inconsciente abismo de la mente». (Traducción mía.)

[7] El gusto en Gracián, según Gadamer, «se encuentra a medio camino entre el instinto sensorial y la libertad espiritual»; gusto en Gracián es, por lo tanto, gusto sensorial, por eso «Gracián considera el gusto como «una primera espiritualización de la animalidad» y apunta con razón que la cultura no sólo se debe al ingenio sino también al gusto», Gadamer, *Verdad y método,* 67.

[8] Antonio Prieto (97-115) plantea si el soneto primero cumple ese valor prohemial que tienen los sonetos-prólogos de Petrarca, Gaspara Stampa o Acuña; más bien se inclina este estu-

dioso por el soneto V («Escrito está en mi alma vuestro gesto») como lugar donde el poeta plantea el primer encuentro con la amada. Yo sigo la opinión de Herrera de un soneto primero como introductorio o como prefación, pues en éste se plantea el estado de ánimo y el estado de contemplación que va regir toda la obra. En esto coincido con R. Fedi, para quien en el soneto prohemial el poeta «no sólo representa la obra, sino por encima de todo, también revela su ánimo» (*apud* Morros, LIX); cfr. R. Fedi, 14, 76 y 77.

II

Versión o aversión en la «revuelta del vago» *pensamiento* (la canción IV)

A diestra, a siniestra

El estudio se centra ahora en la manera concreta como poeta y lector se orientan en esta línea de energía del texto como referencia. En esta línea se crea un marco de deferencia que diseña las significaciones gracias a un estado de ánimo que da facticidad o que constituye la realidad de la creación. Como ya se ha visto, estado de ánimo se toma por la primera reacción o temple ante las cosas y las significaciones. Una reacción que se decanta de inmediato por un sentido u orientación hacia adelante («dulce y blandamente» o «asombro») o hacia atrás (estado de «mayor mal»). Estado de ánimo es contemplado como una unidad de orientación que va en *un* sentido u *otro,* pero que al mismo tiempo da sentido. Dos movimientos básicos, pues, dos sentidos fundamentales: uno que se pliega ante las cosas y otro que se repliega ante ellas, pero ambos despliegan y dan sentido. En definitiva, sentido tiene aquí la significación más básica dada por Moliner de «cada una de las dos maneras opuestas de recorrer una línea o camino, según que el movimiento aproxime a uno u otro de sus extremos».

Definición que a su vez coincide con la fórmula heideggeriana de *An- und Abkehr,* esto es, orientaciones de versión y aversión dependientes del estado de reacción o temple con que la comprensión se acerca a las cosas y, en los términos literarios, para darles un sentido o una versión de ellas. Por ejemplo, «dulce y blandamente» es una manera de recorrer una línea cuya orientación consiste claramente en plegarse ante las cosas, movimiento que se resumiría en la fórmula filosófica de *sine ira et studio* o en la heideggeriana de *Ankehr.* En cambio, para el caso del soneto primero, el estado de ánimo se decantaba por una orientación de repliegue –*Abkehr*– en el terreno del «mayor mal» como un modo de encuentro que permite recoger en un todo sintetizador todos los «pasos» perdidos que vienen a contracorriente: «los pasos por do me ha traído […] según por do anduve perdido.» Pero lo importante en los dos casos es que sin ese estado «dulce» o sin el de «mayor mal» no es posible ir hacia adelante y crear sentido.

Es el propósito ahora indagar con una mayor profundidad sobre «el mal» que provoca que lector y poeta vayan hacia adelante y rehúyan las cosas al tiempo que les generan un ámbito de encuentro y de sentido. En principio voy aducir un ejemplo de Ausiàs March para entender la naturaleza de este mal y para aclarar estos movimientos de pliegue y repliegue.

> Ab tort e dret   mon cor d'Amor se clama,
> tort en passat   y ab dret gran de present:
> no perquè fos   en algun temps content,
> per null temps hach   tempre la mia flama.
> Del temps passat   yo no·m clam de Amor;
> ell me valgué,   mas noch-me la temença;
> envergonyit,   no mostrí benvolença,
> ne fiu saber   mon voler e dolor[1].
> (*Poesies*, LV, III, 34)

Primero una lectura literal. No es «dulce lamentar» lo que aquí se propone sino más bien un lamentar («mon cor d'Amor se clama») movido por la «temença» que a su vez tiene dos andaduras: «ab tort e dret». Dos significados se reúnen en esta expresión. El primero tiene dos acepciones: una tiene que ver con el sentido y la orientación, es decir, *a tort* es al revés, y *a dret*, a derechas; la otra acepción es «a tort» como 'sense raó' (Pompeu Fabra) o 'contra razón' y «a dret» en la acepción de 'con razón'. Esto lleva a traducir «a tort e dret» como «a tuertas o a derechas». La segunda significación viene de tratar «a tort i a dret» como un todo que significa «sense mirar si és amb raó o sense; sense reflexió» (Pompeu Fabra, *DGLC)*; esta última puede quedar traducida como «a diestro y siniestro» en el sentido de 'sin tino, sin orden, sin discreción ni miramiento' (*DRAE*). Tanto en la acepción 'a tuertas o a derechas', como en la de 'a diestro y siniestro' existe un sentido que se refiere a la orientación o el curso que toman las cosas. Sólo que en la primera significación, la conciencia de lo que es *dret* lleva a reconocer aquello que es *tort*, esto es, se tiene clara la orientación que toma el sentido. Mientras que en la segunda significación, aunque en teoría el sentido circula hacia adelante, no existe conciencia de qué orientación toma el sentido, es decir, de qué es *dret* y qué es *tort*. En el siguiente poema de Alberti —«Roma, peligro para caminantes»— se refleja perfectamente el sentido de la orientación, por un lado, y la conciencia de tal orientación, por otro:

> Trata de no mirar tantos portentos,
> fuentes, palacios, cúpulas, ruinas, […]
> –si vienes a mirar–, sin miramientos,

100

mira *a diestra, a siniestra,* al vigilante,
párate al ¡alto!, avanza al ¡adelante!,
marcha en un hilo, el ánimo suspenso.
(«Roma, peligro para caminantes», 4-7, 14)

No se quiere impulsar el sentido de la razón o la conciencia de lo que es *dret,* se pide una comprensión sin miramiento/s racionales (Alberti y *DRAE).* Más bien, se sugiere una línea cuya energía consiste en el estado de ánimo que la recorre: «marcha en un hilo, el ánimo suspenso.» Esta línea se define como un ir a tientas, es decir, una unidad de orientación que se guía por aquello que toca y que te toca, y que «marcha» hacia adelante y, por lo tanto, crea sentido. Aquí sentido de la orientación y sentido –como estado de ánimo que toca las significaciones– coinciden en «un hilo» de suspensión. Por lo tanto, la forma de mirar se hace «sense mirar si és amb raó o sense; sense reflexió»; es decir, llevado únicamente de los sentidos («Párate al ¡alto!, avanza al ¡adelante!»), pero coordinados por un estado de ánimo suspenso que da sentido. Aquí la suspensión coincide con el estado de ánimo de contemplación presente en el poema de Garcilaso «Cuando me paro a contemplar mi estado».

Para el caso de March, el estado que se hace transcurrir en esta línea de dos sentidos es el temor como consecuencia de una llama de amor que no se destempla nunca: «no perquè fos en algun temps content / per null temps hach tempre la mia flama». El temor actúa aquí como un «temple» –o «el ánimo» de Alberti–, primer estado de reacción ante las cosas que, como ya hemos visto, permite crear un marco de referencia y de deferencia hacia ellas para darles sentido. Pero concretamente, ¿en qué consiste el temor y en qué manera construye un ámbito de referencia? Para Heidegger el temor es un estado de ánimo elemental que despliega daño, menoscabo o disminución de valor como forma de unir en una totalidad las cosas que nos rodean según éstas estén más o menos cerca. En la estrofa citada, el poeta trata de acomodarse en una línea discursiva presente desde un modo fundamental o temple que la configura, que es el amor y el temor unidos: «per null temps hach tempre la mia flama» y «mas noch-me la temença». Pero este modo de introversión circula en dos sentidos u orientaciones opuestas, a derechas y al revés, versión *(ab dret)* y aversión *(ab tort)* desde los que instalarse en la línea: el movimiento al revés va hacia el pasado, éste no tiene ya sentido ni razón de ser, pues queda lejos y, por eso, no produce daño ni detrimento o menoscabo de valor; lo que equivale a decir que el pasado amoroso, mirado desde la lejanía del presente, tuvo en aquel tiempo su valor («Del temps passat yo no·m clam de Amor; ell me valgué»), y por eso discurría a favor, es decir, *sine ira et studio, Ankehr.* Por contra, el movimiento que va a derechas tiene gran razón de ser y es además el sentido del hilo discursivo, pues hace que las cosas ("la mia flama") estén tan cerca que llevan al poeta a que le «mueva el temor» ("mas noch-me la temença"). El temor es lo que hace ir hacia adelante, siguiendo el hilo discursivo y razonador (*a dret*) de la palabra. Pero, además, no hay que olvidar la otra cara del temor: éste ciega, y es aquí donde entraría la significación de «ab tort e dret» como «sense mirar si és amb raó o sense; sense reflexió», o en el sentido del poema de Alberti «marcha en un hilo, el ánimo suspenso.»

Así pues, la fórmula es sencilla: a mayor cercanía de las cosas y significaciones, mayor posibilidad de que el temor las reúna en un ámbito de encuentro según el menoscabo y daño que causen:

> Alt e amor,   d'on gran desig s'engendra,
> sper, vinent   per tots aquests graons,
> me són delits,   mas dóna'm passions
> la por del mal,   qui.m fa magrir carn tendra[2]
> (III, I, 1-4)

Placer y amor vienen por las gradas, escalón por escalón, cada vez más cerca pues son «aquests», provocan, por un lado, un movimiento de inclinación (versión) o amor hacia las cosas, pero, por otro, se orientan al sentido opuesto, pues el miedo del mal («la por del mal») provoca aversión hacia ellas.

El sentido del miedo

En el caso de Garcilaso también es posible individuar estos dos movimientos básicos, así en la elegía segunda:

> Mas ¿dónde me trasporta y enajena
> de mi propio sentido el triste miedo?
> A parte de vergüenza y dolor llena,
> donde, si el mal yo viese, ya no puedo,
> según con esperalle estoy perdido,
> acrecentar en la miseria un dedo.
> Así lo pienso agora, y si él venido
> fuese en su misma forma y figura,
> ternia el presente por mejor partido,
> y agradeceria siempre a la ventura
> mostrarme de mi mal solo el retrato
> que pintan mi temor y mi tristura.
> (Elegía II, 109-120)

«De mi propio sentido el triste miedo»: tanto si se quiere significar 'el miedo [natural o peculiar] de mi propio sentido', como 'el miedo [que tengo] de/[a] mi propio sentido', como, y parece la mejor opción, con las dos lecturas complementadas, se demuestra que el miedo es un estado previo al sentido. Pues ¿qué es sentido? En su acepción aristotélico-tomista, es la potencia y facultad de percibir con los sentidos, sean exteriores: «si el mal yo viese», los ojos; sean interiores –«así lo pienso»–, los de la inteligencia, entre ellos el *sensus proprius et communis.*

La lección de este verso es que no hay sentido o facultad de percepción si no viene acompañado por un estado previo de reacción que lo atempera; en este caso trátase de un temor. Por eso el poeta señala que, aunque el mal se le presentara ante los mismos ojos, pueden más los anteojos de «mi temor y mi tristura», estados que pintan «de mi mal solo el retrato.» La explicación se encuentra de nuevo en la definición heideggeriana: estado de ánimo es la predisposición generada en el acercamiento de las cosas que hace que éstas queden definidas y diseñadas en un ámbito de encuentro. Lo que supone, para el fragmento que nos ocupa, que el miedo o estado de malestar –o «la por del mal»–, como estado de ánimo que es, implica la creación de un ámbito de encuentro donde las cosas son encontradas en la determinada orientación o sentido que marca el daño o detrimento que tengan; y según la cercanía en que estén, que aquí resulta estar en el tope: «ya no puedo [...] acrecentar en la miseria un dedo.» Pero además el ámbito de encuentro es tal que el poeta lo toma como un terreno ajeno donde él es trasladado por la fuerza: «¿dónde me transporta y enajena ... el triste miedo?». Asunto de la enajenación sobre el que volveré más tarde.

La fuerza expresiva, esto es lo importante, está en que, en este ámbito de encuentro, el sentido u orientación va a contracorriente pues «enajena», va más «ab tort» que «a dret», «a siniestra» más que «a diestra», *Abkehr* mejor que *Ankehr.* En definitiva, el poeta viene a decir que el sentido del miedo le lleva a otra parte que no es la suya, esto es, le lleva a un ámbito de significación donde cada nota es encontrada según el grado de aversión que ésta produce. He aquí otro ejemplo bien claro que resume lo anterior:

y por esto, Salicio, entera cuenta
te daré de mi mal como pudiere,
aunque el alma rehuya y no consienta.
(Égl. II, 158-160)

La canción cuarta: pensamiento «desatinado» y adverso

Este movimiento de versión y aversión *(ab tort e dret)* no aparece en casos aislados. Vamos a ver a lo largo de este estudio que la canción cuarta es el ejemplo más claro donde se dramatiza y se imita este estado. Conviene tener en cuenta que esta canción es una de las que más gustaba a los lectores de la época de Garcilaso:

El aspereza de mis males quiero
que se muestre también en mis razones,

como ya en los efetos s'ha mostrado;
lloraré de mi mal las ocasiones;
sabrá el mundo la causa por que muero,
y moriré a lo menos confesado,
Pues soy por los cabellos arrastrado
de un tan desatinado pensamiento,
que por agudas peñas peligrosas,
por matas espinosas,
corre con ligereza más que el viento.
(C. IV, 1-11)

El caso de amor se pone en un hilo discursivo –«mis razones»– que podría ser una línea por donde corren neutralmente las cosas, y, sin embargo, es, como en «de mi propio sentido el triste miedo», un nuevo compuesto donde toda significación razonada viene ya atemperada de antemano por una actitud que se «muestra» hacia las cosas, esto es, tanto «mi propio sentido» como «mis razones», tienen como componente inseparable «el triste miedo» y «la aspereza de mis males». Lo importante es que tal movimiento de aversión «de mis males» está inserto en un discurso de razón y sentido donde es posible dar una versión de las cosas, pues dice «que se muestre en mis razones.» Y es aversión porque la orientación que toman las razones y el sentido va a contracorriente («ab tort»), pues circula en el pensamiento de forma desatinada: «soy por los cabellos arrastrado / de un tan desatinado pensamiento.» Antes la palabra clave que definía cómo circulaba la significación en sus modos de versión y aversión era «sentido». Ahora en la canción cuarta «pensamiento» se desvela como un centro neurálgico o como línea energética donde circulan también a contracorriente las significaciones. Y por eso conviene pararse un poco a analizar esta palabra.

Pues ¿qué es pensamiento en su sentido antropológico y por qué es desatinado? El poeta lo describe así: «no reina siempre aquesta fantasía, / que en imaginación tan varïable / no se reposa un hora el pensamiento» (C. IV, 121-123). Pensamiento, en términos aristotélicos y tomistas, es *cogitatio* o co-agitación de imágenes o *species* que la memoria trae a colación sonsacándolas de la fantasía a la que estimula. La máxima es «nihil homo intelligere potest sine phantasmatis», no es posible entender sin imagen; así en este fragmento de Gutierre de Cetina, la fantasía es un espejo donde se muestran las imágenes que trae la memoria:

El cuerpo, que a seguir al alma aspira
por no haber parte en él de vos ajena
muestra en sí mil imágenes iguales
como solo que está de espejos llena.
(Cetina, Soneto XII)

La fantasía, palabra usada también por Garcilaso en su preciso significado filosófico, es el órgano del cerebro encargado de organizar todas las
imágenes perceptuales que aparecen como en un espejo y que vienen de la
vista y otros órganos perceptivos como el *sensus communis* y la *imaginativa*.
Ahora bien, en el poema de Garcilaso la fantasía es «imaginación tan variable» y el pensamiento es «desatinado» porque ambos son una coagitación
que sólo se ordena y atina bajo la égida del entendimiento (juicio y razón
unidos), que controla todo ejercicio de comprensión de la mente. En nuestro ejemplo se da la aporía de instalar una versión razonada y poética de las
cosas en una línea de coagitación que va en constante aversión y lucha con
la razón. El poema es un reiterado ir y venir del pensamiento coagitado,
donde las imágenes y el sentido circulan entre lo que es «ab dret» o con el
gobierno de la razón, y lo que es «ab tort» o circulación a sus anchas de imágenes, *phantasmata* o *species* que van en sentido contrario; de ahí que el pensamiento sea descrito como «desatinado», «áspero camino», «vago pensamiento», «vía espantosa», haciendo caso a la definición de Capellanus de
«immoderata cogitatio». Al final del poema el pensamiento y la propia discursividad poética son descritos así:

> Canción, si quien te viere se espantare
> de la instabilidad y ligereza
> y revuelta del vago pensamiento,
> estable, grave y firme es el tormento
> (C. IV, 161-164)

El poeta vuelve a dar al pensamiento el sentido técnico de *cogitatio* o coagitación de imágenes que he venido comentando y además le confiere una
cualidad inherente de versión y aversión expresadas en «vago» y en los sustantivos que le preceden: «instabilidad, ligereza y revuelta.» Este adjetivo que se
pone delante del sustantivo (al modo de «blanca nieve») como cualidad inherente viene precedido de una concatenación de sustantivos fuertemente unidos por eslabones sintácticos y métricos (y... + pausa versal + y), todos ellos
destinados a resaltar e insistir en la idea de «vago»: «instabilidad y ligereza /
y *revuelta* del vago...» Aquí vagar es andar sin dirección o destino fijo, como
algo errante, impreciso y claramente adverso y erróneo («desatinado») a ojos
de la razón.

Dante ya había expresado este movimiento de coagitación procedente de
la fantasía en este mismo sentido adverso y erróneo, cuando en el capítulo
XXIII de *La Vita Nuova* imagina en el curso de un sueño a Beatrice muerta:
«e fu sì forte la erronea fantasia, che mi mostrò questa donna morta» (*Vita*,
64). Dante insiste mucho en este capítulo en la idea de error y de extraviarse
–que por otra parte inauguraba la *Commedia* (la *via smarrita* de los primeros
versos)–:

> Mentr'io pensava la mia frale vita
> e vedea 'l suo durar com'è leggiero,
> piansemi Amor nel core, ove dimora;
> per che l'anima mia fu sì *smarrita,*
> che sospirando dicea nel pensero:
> –Ben converrà che la mia donna mora.–
> Io pressi tanto *smarrimento* allora,
> ch'io chiusi li occhi vilmente gravati,
> e furon sì *smagati*
> li spirti miei, che ciascun giva *errando* […]
> Poi vidi cose dubitose molte,
> nel vano imaginare ov'io entrai[3];
> (*Vita Nuova,* 68, subrayado mío)

Aquí Dante en el primer verso utiliza *pensar* como actividad de la razón (meditar, considerar) –no en el sentido garcilasiano–, pero, en la segunda parte del ejemplo entra de nuevo la actividad de la cogitación en la forma de *vano imaginare;* actividad que se concreta en el movimiento de los espíritus que proporcionan la fantasía y la imaginación en un sentido equivocado y vago, por eso los espíritus, por un lado, son *smagati,* es decir, en un estado de *smarrimento* (pérdida de sentido o conciencia) y, por el otro, están «errando»[4] (por partida doble errar 'vagar+equivocarse'). Tanto Dante en el «smarrimento / smagati / errando» y «vano imaginare» como Garcilaso en el «vago / desatinado pensamiento», dan este sentido doble y recíproco a la idea de vagar y errar, y sobre todo de ir a contracorriente; así en los versos de Garcilaso: «de mí agora huyendo, voy buscando / a quien huye de mi como enemiga, / que al un error añado el otro yerro» (81-83). El primer sentido, que se manifiesta en «errando» de Dante, equipara errar y vagar. (Presente también en la definición técnica de María Moliner, de *errar* como idéntico a *vagar:* «andar sin destino u objetivo fijo y sin tener resistencia fija / andar sin dirección o destino»). El segundo sentido se refiere, en *desatinado* y en *errando,* a la idea de «desacertar y equivocarse, no atinar» (*Moliner,* errar).

Por ello, pienso que la clave de la expresividad de la canción IV está en esta doble idea de vagar en un destino errado, en una orientación y sentido que circula a contracorriente, en total movimiento de aversión.

Y por eso, basta una lectura detallada de la canción IV para identificar este movimiento de versión y aversión, más a siniestra que a diestra, más al revés que a derechas:

sea como **repliegue:** «tan desatinado pensamiento … *corre* con ligereza» (8-11), «no *vine* por mis pies a tantos daños» (21), «los pasados [años] compararon \ con los que *venir* vieron […] la fuerza y rigor con que *venían*» (28-31).

sea más **ab tort** ('al revés') que a **dret** ('al derechas'), en las formas de *torno y retorno:* «con un nuevo furor y desatino / *torna* a seguir el áspero camino»

(20), «Los ojos cuya lumbre bien pudiera / *tornar* clara la noche [...] me *convertieron* [...] en *volviéndose* a mí» (61-65), «*torno* a llorar mis daños» (93); «mas luego en mí la suerte / *trueca y revuelve* el orden» (153 y 154), «que cualquier parte en que tocare / le hará *revolver* hasta que pare» (165 y 166).

sea de **versión y aversión:** «De mi agora *huyendo,* voy buscando / a quien *huye* de mí como enemiga» (82 y 83), «Qu'es cierto que *he venido* a tal estremo, / que del grave dolor que *huyo y temo* / me *hallo* a veces tan *amigo*» (115 y 116).

Un ejemplo que lo explica todo:

a tiempos el dolor, que al alma mía
desampara, *huyendo,* el sufrimiento.
Lo que dura la furia del tormento,
no hay parte en mí que no se me *trastorne*
y que *en torno de* mí no esté llorando,
de nuevo protestando
que de la via espantosa atrás me *torne.*
(C. IV, 125-131)

La canción cuarta: huida hacia el mal

Aún es preciso encontrar una explicación desde el texto de por qué el pensamiento y el sentido circulan en desatino y en aversión. La canción cuarta da claves a este respecto pues el placer de este texto estriba en reconstruir el proceso mental y de introversión precisamente desde sus orígenes hasta el desarrollo de la contracorriente de pensamiento que circula *ab tort.* Así, el origen es la vista, el camino el pensamiento y el término final el mal:

Los ojos, cuya lumbre bien pudiera
tornar clara la noche tenebrosa,
y escurecer el sol a mediodía,
me convertieron luego en otra cosa,
en volviéndose a mí la vez primera
con la calor del rayo que salía
de su vista, qu'en mí se difundía;
y de mis ojos la abundante vena
de lágrimas, al sol que me inflamaba,
    no menos ayudaba
a hacer mi natura en todo ajena
de lo que era primero. Corromperse
sentí el sosiego y libertad pasada,
y el mal de que muriendo estó engendrarse
y en tierra sus raíces ahondarse

[…]
el fruto que d'aquí suele cogerse
mil es amargo, alguna vez sabroso
mas mortífero siempre y ponzoñoso
(C. IV, 61-80)

El comienzo del desatino y del yerro por el que discurre el pensamiento
está en las puertas de lo sensible: «los ojos, cuya lumbre bien pudiera / tornar clara la noche» de la amada inciden sobre los ojos –puerta de lo sensible– del poeta («la calor del rayo que salía / de su vista qu'en mí se difundía»), pero éstos revierten en un sentido opuesto («me convirtieron luego
en otra cosa») y orientan el sentido a contracorriente. El proceso de enajenación ha comenzado, unas veces por la vía del dolor («lágrimas»), otras,
por la vía el miedo («via espantosa»). Se trata de un proceso de la misma
naturaleza que el comentado para la Elegía II en «¿dónde me transporta y
enajena / de mi propio sentido el triste miedo?» y para la estrofa de Ausiàs
March: «Del temps passat yo no·m clam de Amor; / ell me valgué, mas
noch-me la temença.» Los tres casos demuestran la incursión en un terreno
cuya «natura» es «el sosiego y libertad pasada», o el pasado que «ell me valgué», para finalmente entrar en una «vía desatinada» y *smarrita,* que se
siente como algo «ajeno» y que tiene como forma de apropiación «la
temença», «la por del mal», el «triste miedo»; por eso llega a ser una «vía
espantosa.» Una vía que tiene el mal como destino final: «Corromperse /
sentí el sosiego y libertad pasada, / y el mal de que muriendo estó engendrarse» (71). Pero, ¿qué es el mal como destino final de esta *via smarrita* o
desatinada? Para los filósofos medievales la discusión sobre el mal y el bien
se centraba en comprobar si el mal era una realidad presente en las cosas o
más bien era un «ser de razón» presente en el entendimiento y en la forma
de comprender:

> El mal se da en las cosas, pero como privación, no como algo real. Pero como
> en la razón existe como algo pensado, por eso se puede decir que el mal es un
> ser de razón y no real, porque es algo en el entendimiento, no en las cosas.
> (Tomás de Aquino, *De malo/Sobre el mal,* q. 1, Art. I, 19.)

En efecto, esta definición entra en sintonía con el primer verso de la canción cuarta que también se puede tomar como un prefacio de toda la obra: «el
aspereza de mis males quiero / que se muestre también en mis razones / …
lloraré de mi mal las ocasiones», donde el poeta sitúa al mal en el justo recorrido de la mente y del discurso razonado, es decir, como ser de razón. Pero a
estas alturas ya hemos aprendido que toda razón está mediatizada y atemperada por una reacción primaria, que en el caso de Garcilaso va y vuelve entre
el dolor («lloraré de mi mal…») y el miedo. Por otro lado, tal recorrido por la

via smarrita es sentido como privación, es decir, como un ente que le lleva a «hacer de mi natura en todo agena / de lo que era primero».

En definitiva, no hay que olvidar que el punto que da facticidad a este recorrido es una reacción primaria de miedo y aversión que hace al poeta huir de sí mismo y al mismo tiempo dar una versión razonada y poética de sí mismo:

> De mí agora huyendo, voy buscando
> a quien huye de mí como enemiga,
> que al un error añado el otro yerro,
> y en medio del trabajo y la fatiga
> estoy cantando yo, y está sonando
> de mis atados pies el grave hierro.
> Mas poco dura el canto si me encierro
> acá dentro de mí, porque allí veo
> un campo lleno de desconfianza:
> muéstrame l'esperanza
> de lejos su vestido y su meneo,
> mas ver su rostro nunca me consiente
> (C. IV, 81-92)

Toda versión poética de sí mismo no se queda sólo dentro («acá dentro de mí») de un puro razonar poético y retórico o de una aséptica comprensión poética –para el caso del lector–, sino que se nutre además de un «allí» en cuyo terreno se palpa de cerca el miedo y se columbra de lejos la esperanza.

La canción cuarta IV: la posibilidad «en tus manos»

En mi opinión, el secreto de la canción cuarta, y de ahí el éxito que tuvo en la época de Garcilaso, estriba en construir un «áspero camino» de enajenación donde el lector tiene en sus manos la posibilidad de colocar e imitar el miedo y el sufrimiento en un punto de la expresión poética que atrae las significaciones por el daño y aversión que éstas causan. La poesía renacentista, además de ser una utopía de belleza ideal –«immagine fatta con intendimenti d'arte», como diría Castiglione *(Il Cortigiano)*– para acceder al sumo bien, y además de construir un lenguaje que es «como un seguro paseo de estatuas prefijadas» (Lezama) donde las palabras se asientan en combinaciones esperadas por el lector que ya conoce de memoria su cartilla retórica, es también una huida y regreso hacia uno mismo en las posibilidades que uno inventa, imita y quiere recorrer. Y una posibilidad es la de orientar y tentar un estado de ánimo que se sitúa en la adversidad o *ab tort*. Bien es verdad que tal posibilidad de lo adverso y el mal era ya una «estatua prefijada» en el pensamiento de la época, pues era visto como algo fuera de natura, como un accidente de la mente: «consta por eso, que el ente se apetece por sí mismo, y se huye accidentalmente; el no-ente, en cambio, se huye por sí, y se apetece accidentalmente. Por eso el bien, en cuanto tal, es una realidad, y el mal, en cuanto tal, privación» (Tomás de Aquino, *De malo*, § 17).

El texto es el ejercicio de una posibilidad. Por eso, la gracia de la canción cuarta está en hacer que el lector imite desde el texto la posibilidad de un estado de acción y reacción («un estado de ánimo receptor» para Lezama) hacia lo que viene a favor (ab dret), que siempre está lejos: «en medio de la fuerza del tormento / una sombra de bien se me presenta» (Canción IV, 141-142), «muéstrame la esperanza / de lejos su vestido y su meneo; / mas ver su rostro nunca me consiente» (90-93). Pero sobre todo, imitar o crear un estado de reacción de lo que viene en contra y que siempre está muy cerca: «Cuanto era el enemigo más vecino / tanto más el recelo temeroso / le mostraba el peligro de la vida» (35-37). El atractivo está en ese gesto de continuo *torno y retorno* —«un nuevo furor y desatino / torna a seguir el áspero camino»—, *vuelta y revuelta* —«en mí la suerte trueca y se revuelve»—, *huida y rehuida* «del grave dolor que huyo y temo», donde el lector queda vapuleado en estado de reacción. A esto se suma el que la palabra poética, que es el cauce razonado —más en aquella época— por donde discurren seguras las significaciones y por donde se da una versión de las cosas, se convierte al mismo tiempo en el «ápero camino» por donde las cosas discurren en aversión:

> De mí agora huyendo, voy buscando
> a quien huye de mí como enemiga,
> que al un error añado el otro yerro,
> y en medio del trabajo y la fatiga
> *estoy cantando yo,* y está sonando
> de mis atados pies el grave hierro
> (C. IV, 81-86).

Y este ensayo de imitación y creación entra de lleno en un ejercicio de retórica que contribuye a que la escritura poética parta de una sinceridad y de un *ethos* del lado del poeta, y llegue a un *pathos* o deferencia que concierne al lector; por eso el poeta insiste en que el acá del poema y el allí de su deferencia y estado de ánimo son la misma cosa: «mas poco dura el canto si me encierro / acá dentro de mí, porque allí veo / un campo lleno de desconfianza» (87-89). *Ethos* y *pathos* son la responsabilidad y placer, por ambas partes, de entregarse a la tarea o tener la deferencia de «ponerse en manos» (la imitación de Sgalambro) de una posibilidad poética. Tal posibilidad quedó abierta en la «prefación de toda la obra» (Herrera) del verso «cuando me paro a contemplar mi estado», consistente en ponerse en las manos de un estado previamente elegido para templar las cosas que vienen al paso, sea a favor o *ab dret* sea en contra o *ab tort*. La posibilidad se reabre de nuevo en la canción cuarta, desde el momento en que poeta y lector están pendientes de las significaciones que advienen. Si el soneto primero era estado de contemplación, en la canción cuarta es estado continuo de reacción, que se expresa muy bien en la frase «estaba yo a mirar» (41). Pero en los dos casos el estado o el pensamiento se configura como una forma de conocimiento en que el poeta desde su *ethos* y el lector desde su deferencia o *pathos* son capaces de inclinarse a las significaciones que hay en el referente del texto según el estado o el temple que el texto evoca y pro-voca, sea «dulce y blandamente», sea en un estado de «mayor mal», sea en la adversidad de un «desatinado pensamiento» o «via smarrita».

Lo importante es que Garcilaso pone al lector en dos estados del conocimiento humanístico –estudiados por Ciriaco Morón Arroyo en *Las humanidades en la era tecnológica*–[5], uno *leer* y *entender* como «estallido del significado» o lo que yo llamaría pro-vocación, y otro, *conocer,* paso último que consiste en «desvelar el ser de las cosas» (223), no desde una actitud de dominio sino de investigación, dentro de una apertura lingüística que permite desvelar los objetos desde un «abrirse a mirar» (Morón Arroyo). Para Garcilaso tal apertura («estaba yo a mirar», CIV, 41) se hace desde la imitación o «ponerse en manos» (Sgalambro) de la palabra poética.

Imitar significa tener la posibilidad en las manos que lleve a orientar un estado que se da como una referencia y se recibe como una deferencia. La originalidad de Garcilaso de la Vega estriba en hacer conscientes a lectoras y lectores de su individualidad –tan cara al Renacimiento– para templar y contemplar el discurso poético en las posibilidades que se presenten desde el texto como referente y evocador de deferencia. En esta contemplación está precisamente el sentido del humanismo en una sociedad, por otra parte, tan dura como la de los Siglos de Oro, o tan insensible e indiferente como la actual. La lección educadora del Renacimiento italiano, y ahora estoy traduciendo libremente a Petrarca, era la exploración de uno mismo en la soledad de su pensamiento para saber las posibilidades que en este mundo tiene y hallar una norma temporal de actuación –que en un sentido cristiano consistía en orientar los esfuerzos, por el camino de la perfección ideal, hacia la salvación y la esperanza eterna–:

> Nobis quibus venale nichil penitus, nichil ostentui esse debet, omnia ad salutem viteque legem temporalis et eterne spem, in solitudine discendum est quod restat, in solitudine exercendum, in solitudine vivendum, in solitudine moriendum, *cit.*

El texto consiste, en definitiva, en crear, desde una referencia que se da, un ámbito de encuentro donde contemplar las posibilidades de significación que llevan a crear un sentido o norma de actuación. Tal norma es precisamente el estado que autor, lectoras y lectores han elegido para orientar en un sentido o en otros las significaciones que les advienen. La frase «estaba yo a mirar» resume en sí este compás de atención y de espera de las posibilidades que advengan en la lectura.

NOTAS

[1] «A tuerto o a derecho mi corazón se queja de Amor, sin razón en el pasado y con gran razón ahora: no porque fuera alguna vez contento, nunca tiene temple mi llama. Del tiempo pasado yo no me quejo de Amor, él me valió, mas me mueve el temor pues, avergonzado, no mostré buen amor ni hice saber mi querer y dolor.» Trad. de Rafael Ferreres, *Obra poética completa,* Madrid, Castalia, 1979, 317.

[2] «Placer y amor, de donde se engendra gran deseo y esperanza, viniendo por todas estas gradas, me son deleites pero me da sufrimientos el miedo del mal, que me hace enflaquecer la tierna carne.» (Trad. de Rafael Ferreres, 143.)

[3] «Mientras pensaba yo mi frágil vida / y veía cuán ligera es su duración / lloró Amor en mi corazón, que es donde mora / y el alma mía perdió el sentido de tal modo / que suspirando en mi interior decía: / «mi señora finalmente ha de morir.» / Entonces me sobrecogió un tal desfallecimiento / que yo cerré los ojos sintiendo un gran peso en ellos / y entonces se quedaron de tal modo vacilantes / mis espíritus, que cada uno de ellos se desperdigonó errando de acá para allá. /Luego vi muchas vaguedades / en la vana imaginación en la que entré.» (Traducción mía.)

[4] Tiene el sentido de 'débil' y 'privado de su sentido de orientación'. Para Guglielmo Gorni: «indeboliti, diffuso gallicismo (più casi anche nel poema)» *Vita Nuova,* Einaudi, Turín, p. 96, n. 37. Para De Robertis: «privi di forza, o meglio «discacciati» da le loro possesioni; onde il loro «giva errando», *Vita Nuova,* Milán, Riccardo Ricciardi, 1980, 162.

[5] Ciriaco Morón Arroyo, *Las humanidades en la era tecnológica,* Oviedo, Nobel, 1998.

III

El *sentido:* «cuando... las ideas son dedos»

«L'amour c'est le toucher». La poesía es tocar

La atención se fija ahora en la palabra *sentido,* en general, y en particular en lo que se refiere a Garcilaso de la Vega y otros casos. Tradicionalmente, el sentido más propiciado por las artes y las ciencias era la vista. Así, en la *Retórica* de Aristóteles se da prioridad al acto visual en la experiencia poética y se deja a la zaga los otros sentidos. Sin embargo, este trabajo se centrará más en *sentido* desde el acto de tocar[1]. Así, como ejemplo, Leonardo Sciascia quiere adherirse a la definición de Pascal y de Gide de que «L'amour c'est le toucher»; o para Merleau-Ponty, «le modèle cartésien de la vision, c'est le toucher» *(L'Œil et L'Esprit,* 39). Para el novelista siciliano, «hasta que no se usa el tacto no se da de hecho el amor» *(Fuego en el alma,* 49). Por eso, la poesía es también un acto erótico, si por él se entiende que hay algo que toca al lector en la medida en que éste «está en manos» de la palabra poética.

Tocar en el sentido erótico es, como poco, dirigir la mano para tomar y coger, y como mucho juntarse, adherirse los cuerpos en una convulsión de los sentidos. Tocar es ser deseado en aquellos puntos que más placer dan en confabulación con todos los sentidos. Ahora bien, tal confluencia de los sentidos se convierte a su vez en el sentido que, como mínimo, es la orientación que cada uno de los sentidos toma en el momento en que son estimulados, y como máximo, es el sentido y significación que se le da en tanto que aquél y aquéllos están guiados por una inteligencia. A la postre el giro u orientación de un sentido viene a ser el sentido que toca las cosas como una inteligencia que se adhiere a ellas.

La poesía es también un acto de tocar o de adherencia pues se trata de que la palabra es un lugar de comprensión donde el sentido se adhiere, se transporta a una espiral de sentido y significaciones que se ofrecen como centro de ocupación y lugar de toque. Esta frase conviene desglosarla. Cuando se habla de *sentido,* se quiere significar tanto las aptitudes de la mente para comprehender por medio de los sentidos del cuerpo, como las mismas facultades de la inteligencia. Sería lo que los aristotélicos y tomistas llamaban sentido externo, o lo que los modernos llaman *esprit* o *intelligence physiologique* (Max Jacob; véanse la n. 4 de la Tercera Parte). Por *sentido y significación* de la palabra entiendo todas las notas, los signos, las llamadas que expresan una idea. Y por último, por *ocupación* me refiero ahora a la adherencia de los sentidos y del sentido e inteligencia hacia aquellos puntos de la espiral de significación que son tocados en una orientación u otra. Por lo tanto, en poesía, poeta-escritor y poeta-lector están ocupados en un ejercicio mental de tacto que bien puede resumirse en el siguiente verso de Vicente Aleixandre: «cuando sobre las frentes las ideas son dedos» («Suicidio», v. 44, *Espadas como labios,* 100). Por lo tanto, estar ocupados es un estado mental de hormigueo, entendido éste como ponerse en movimiento una muchedumbre de ideas que vienen transportadas y tocadas mediante la expresión poética. En este sentido leemos los siguientes versos de Garcilaso:

> ¿Dónde podré huir que sacudida
> un rato sea de mí la grave carga
> que oprime mi cerviz enflaquecida?
> (Elegía II, 169-171)

Desde «las frentes» hasta la «cerviz enflaquecida» la comprensión poética se despliega como algo mental. Ocupación, además, se entiende también en el aspecto de la preocupación pues el sentido y los sentidos se mueven allí donde hay algo que al lector le toca.

Tocar es preocuparse

Hay que pararse un poco más en esta forma de tocar inteligente desde la definición heideggeriana a la que me he referido en esta segunda parte. Para Heidegger la totalidad de llamadas e involucraciones que surgen en el acto de comprensión de las cosas se realiza a partir de un diseño previo (*Vorhabe)* compuesto por aquellos puntos por los que se ha agarrado mentalmente la cosa, aquellos puntos que han llamado, han interesado, en definitiva, tocan y atañen. En cierto modo traducimos *Vorhabe* ('tener desde mucho antes'), por *adherencia,* pues este diseño, es decir, el agarrar las cosas por los aspectos que tocan y llaman la atención, es como una herencia que viene de un momento previo y surge cuando la atención está fija o clavada (*hæreo)* en un objeto y en un momento *ad hoc.* Por eso, el significado concreto que le doy a ocupación es preocupación. Ocuparse de las palabras poéticas supone prenderlas –y comprenderlas– por aquellos puntos que afectan y tocan en un marco previo. Pre-ocupación tiene, pues el sentido de lugar previo donde se sostienen las cosas por aquellos puntos que tocan, llaman, afectan. Y mundo compartido, que permite la llamada del poema al autor y al lector.

Una vez hecha la definición literaria de tocar, ¿cabe ahora desligarse de algún modo de la tradición que da a la vista un lugar hegemónico en la confección de la palabra poética? Para Aristóteles el valor principal de la metáfora es que «el objeto salte a la vista» (*Retórica*, III, 1411a y b): se trataba de hacer sensible (o visible) el contenido del mensaje. Cicerón abre la metáfora a todos los sentidos, pero al mismo tiempo la cierra cuando da prioridad a los ojos: «omnis translatio ad sensus ipsos admovetur, maxime oculorum, qui est acerrimus» 'toda metáfora aboca a los mismos sentidos, principalmente el de los ojos, que es el más afilado' (Cic., *De Oratore* III 40, 160). Incluso Lorca, para quien el caldo de cultivo de toda creación está en que «un poeta tiene que ser profesor en los cinco sentidos corporales […]. Para poder ser dueño de las más bellas metáforas tiene que abrir puertas de comunicación en todos ellos» (Lorca, «La imagen…», 77), sin embargo, hace ver que la vista es el linde principal configurador o limitador del recinto imaginativo de la metáfora: «la metáfora está siempre regida por la vista (a veces una vista sublimada), pero es la vista la que la hace limitada y le da su realidad» (Lorca, 77).

Tocar en un hemisferio de sentido

¿Vista, tacto, oído…? De todas formas, «vista sublimada», o para Aleixandre un «párpado doloroso.» ¿Gusto, quizás?: «Quand je mordille tes cheveux élastiques et rebelles, il me semble que je mange des souvenirs», termina así el poema en prosa *Un hémisphère dans une chevelure* de Baudelaire. O en lo tocante a cabellos, así responde Nemoroso, en la égloga primera de Garcilaso, ante los de su pareja amada que tiene guardados en un «blanco paño»:

> Tengo una parte aquí de tus cabellos,
> Elisa, envueltos en un blanco paño,
> que nunca de mi seno se m'apartan;
> descójolos, y de un dolor tamaño
> enternecer me siento que sobre'llos
> nunca mis ojos de llorar se hartan.
> Sin que d'allí se partan,
> con sospiros callientes,
> más que la llama ardientes,
> los enjugo del llanto, y de consuno
> casi, los paso y cuento uno a uno;
> juntándolos, con un cordón los ato.
> Tras esto el importuno
> dolor me deja descansar un rato.
> (Égloga, I, 352-65)

Los cabellos aquí son un ámbito –un «hémisphère»– donde el dolor pueda «descansar un rato». El poeta presenta un ámbito físico de contacto, descrito minuciosamente, donde los ojos más que ver son órganos de tacto: ora regodeándose en las distancias entre las partes tocadas («nunca de mi seno se m'apartan» y «…que sobr'ellos / nunca mis ojos de llorar se hartan. / Sin que de allí se partan»), ora infundiendo sensaciones táctiles de humedad y calor («con sospiros calientes, / más que la llama ardientes, / los enjugo del llanto»). Seguidamente, el tacto de los ojos pasa al tacto de las manos. Lo interesante es que las palabras no quedan involucradas por su valor figurativo, metafórico o sinéstesico, más bien parece que Garcilaso quiere esmerarse en hacer deslizar el tacto por verbos y más verbos que están encadenados métrica, pero sobre todo sinérgicamente, entendida esta última palabra como el concurso activo y coordinado de varios órganos para realizar la función de movimiento táctil continuo.

Ahora bien, la combinación de varias sensaciones, de diferentes órganos, y a través de verbos encadenados para expresar un movimiento, que por otra parte está sometido y modulado por el ritmo métrico, todo esto tiene un centro sinérgico e inteligente que lo involucra en un «hémisphère» de sentido y significación: trátase de su «dolor tamaño», es decir, un movimiento que ya está anunciado desde el principio del poema con las palabras siguientes: «suelto yo la rienda / a mi dolor», 338-339.

Así las cosas, el ámbito físico es un lugar de ocupación donde las cosas son encontradas y diseñadas previamente por aquellos puntos que una sensibilidad primaria o estado – «dolor tamaño»– toca y hace que se involucren en un mundo de sentido y significación. Max Jacob preferiría hablar de una «intelligence physiologique» que todo lo mueve y toca, o preferiría resumir en la palabra «esprit» el ámbito donde se coordinan todos los datos opuestos de los sentidos. Por eso, la palabra elegida en este trabajo es *sentido* como aquella facultad de diseñar o reunir en un todo aquellos puntos con que las palabras y las cosas son prendidas de antemano gracias a un estado de ánimo o sensibilidad que funciona como una avanzadilla entre ellas. De ahí que el «párpado doloroso» de Aleixandre se presente como un lugar de toque donde un estado de ánimo o sensibilidad –el dolor– diseña y atempera el encuentro. Lo mismo ocurre con «cerviz enflaquecida», «ideas [que] son dedos», «tes cheveux»; estos últimos son «hémisphère» donde el poeta mordisquea los recuerdos, o los «cabellos» en que el poeta Garcilaso hace incidir y reincidir un «dolor tamaño» hasta lograr «descansar un rato».

Sentido de los sentidos

Sentido es la palabra elegida y, por eso, hay que estudiar a fondo su significado sobre el ejemplo citado de Garcilaso. Así, ¿cómo comprender los versos inmediatamente anteriores a la estrofa antes comentada de los cabellos?

El desigual dolor no sufre modo;
no me podrán quitar el dolorido
sentir si ya del todo
primero no me quitan el sentido.
(Égloga I, 348-351).

Garcilaso parece ponerse aquí en una situación extrema de este giro –«desigual dolor»: 'dolor desproporcionado'–, sólo en potencia y no en acto, porque está en futuro –«podrán»– : quiere expresar la condición *sine qua non* de 'si no me quitan el sentido, es imposible que me quiten el dolorido sentir'; es decir que, para quitarme el dolorido sentir tendrán que quitarme previamente «el sentido» de los sentidos, o lo que es lo mismo, la capacidad de percibir mediante los sentidos corporales y de orientarlos a través de la inteligencia y el estado o *Befindlichkeit*. Por lo tanto, en estos versos se expresa un estado o estadio ontológico previo, el sentido, que es la capacidad de percibir las cosas y de encontrarlas.

En este fragmento, además, late una definición filosófica de sentido. Nemoroso viene a decir que el dolor no es sólo mental sino que el origen y la condición necesaria de que parte es la percepción y vinculación sensitiva con la pareja amada, que en la retórica de esta poesía se hace a través de la vista, lugar donde se inicia todo el proceso de *denudatio* de imágenes que va desde lo puramente material y llega, desprovisto al final de materia, a lo espiritual[2]. Para Tomás de Aquino el sentido puede corresponderse con sentido interior o *sensus proprius et communis,* encargado de organizar en una única imagen perceptual (*species* sensible) todas las formas y cualidades (auditivas, gustativas, visuales, etc.) que ha extraído el sentido exterior («ad receptionem formarum sensibilium ordinatur *sensus proprius* et *communis*», *Summa Th.,* 1 q.78, a. 4). Sentido es una especie de inteligencia fisiológica que ordena los datos extraídos del exterior.

Ahora bien, la lectura se queda corta desde este estadio de pura percepción de los sentidos y del sentido. Volviendo al poema, ¿qué relevancia tiene el hecho de que el discurso de Nemoroso, y la estrofa en la que nos situamos, vienen acompañados por un ánimo desatado («desta manera suelto yo la rienda / a mi dolor», 338-339), de ahí que «el desigual dolor no sufre modo» o no haya manera de modularlo, pues es excesivo? La respuesta debe ir orientada hacia qué o quién lleva esta modulación. Por eso hay que volver a la noción de sentido, instalándolo en la relación causa-efecto que Garcilaso le ha dado.

A lo largo de este comentario se ha dado por sentado que el estadio posterior a «no me quitan el sentido» es el dolor, sin parar mientes en que la expresión utilizada es «dolorido sentir.» La acepción más común de sentir como sustantivo es 'sentimiento'; ésta sería, de todos modos, una definición muy sintética que se aleja de todo el proceso in-finitivo del verbo. En *Autoridades* reza la primera acepción como «percibir con los sentidos las impresiones de los objetos», con ella «dolorido sentir» se acerca a «sentido» tal y como lo definía Santo Tomás. Quiere decir que «sentido» expresaría la potencia y facultad de percibir con los sentidos, mientras «sentir» es el acto en un modo infinitivo, es decir, sin puntos que limiten la acción en un presente, pasado o futuro. Por lo tanto, *sentir* y *sentido* están en la misma onda de significado, pero en diferente radio de acción.

Pero la expresión es «dolorido sentir» y no «sentir dolorido.» Con ello Garcilaso trata de expresar un todo en dos palabras: una expresión parecida a «cristalinas aguas», donde la cualidad que expresa el adjetivo que antecede es inherente al sustantivo que modifica. Además, si miramos «sentir» como instalado en este doblete, recuperamos un nuevo significado que según *Autoridades* es «padecer físicamente algún dolor» o «tener pena». Es decir, que «dolorido» y «sentir» están confabulados recíprocamente al compartir la misma naturaleza y el mismo todo sintético. En definitiva, se mire como se mire, sea en una forma sintética (sentimiento, dolorido sentir) sea en una forma infinitiva (sentir), se puede observar que «dolorido» se presenta como un modo fundamental de encontrar las cosas, aquí en un estado de percepción. Y es fundamental porque lo que Garcilaso viene a decir es que no hay «sentir» si no es dolorido, ni hay «dolorido» si no hay «sentir», ni hay «dolorido sentir» si no hay «sentido», ni hay «sentir» si no hay «sentido.» Dolorido es, pues, un modo elemental de recorrer una línea; sentido y sentir, más que facultades de percepción tan exactamente descritas constituyen un lugar de encuentro que sólo puede ser ocupado si hay una actitud o un estado –«dolorido»– que dé facticidad y modulación.

Parece como si, anterior a esta facultad mecánica de percibir o reunir en una imagen perceptual, existiera una sensibilidad o un estado de ánimo básico que reúna los significados, pues da la impresión de que el percibir, el sentido y el sentir todos ellos son un estado previo que es y se expresa como «dolorido». Con ello, además, nos acercamos a la opinión de Lezama Lima sobre la poesía de Garcilaso: «sobre el deslizamiento de un material semejante producir la magia de un estado de ánimo receptor» (Lezama Lima, «El secreto de Garcilaso», 85) donde el estado de ánimo se encarna en ese estado previo o «dolorido.» En este sentido, Rafael Lapesa llega a afirmar que «[Garcilaso] añadió el adjetivo *dolorido* y proclamó la inalienable identificación del enamorado con la pena que constituye su razón de existir» (Lapesa, «Poesía de Cancionero…», 163).

La *via* del sentido

Dos ejemplos más antes de continuar la discusión. En el primero se ve cómo aun siguiendo al pie de la letra una concepción aristotélico-tomista del sentido y de la mente que no permite sutiles elaboraciones como «dolorido sentir», el autor –Guido Cavalcanti– llega a otro tipo de sutilezas. El segundo, de Miguel Hernández, es un ejemplo más cercano al «dolorido sentir» de Garcilaso. Guido Cavalcanti:

> Lagrime ascendon de la mente mia,
> sì tosto come questa donna sente,
> che van faccendo per li occhi una via
> per la qual passa spirito dolente,
> ch'entra per li occhi miei sì debilmente
> ch'oltra non puote color discovrire
> che 'l 'maginar vi si possa finire[3].
> (Cavalcanti, XIX, 18-24, p. 513)

Viene a decir: el poeta cubre de lágrimas las puertas de su mente (los ojos), a la vez que percibe por estas mismas puertas la imagen de la amada en forma de «spirito.» Éste, que en la antropología aristotélico-tomista era de carácter mixto (material y espiritual), intenta recorrer las distintas cavidades del cerebro (entre ellas el sentido) para ser depurado y desprovisto de su carácter material –*denudatio*– gracias a la acción del entendimiento que gobierna la mente: «che van faccendo per li occhi una via / per la qual passa spirito dolente.» Pero hay un gran obstáculo para este «spirito» en tal recorrido o vía de percepción y del sentido, y éste se encuentra en los ojos («spirito dolente / ch'entra per li occhi miei sì debilmente») que, por estar cubiertos de lágrimas, filtran tan débilmente la imagen que se hace difícil descubrir el color[4], de tal forma que todo el proceso imaginativo puede venirse abajo. La idea está en que, si no hay una percepción perfecta o buen sentido, no hay intelección, y por lo tanto no hay posibilidad de amor, idea que en cierto modo conecta con «no me podrán quitar el dolorido sentir» de Garcilaso de la Vega.

Ahora bien, el poeta ha conseguido, dentro de moldes antropológicos tan rígidos, crear un ámbito de encuentro donde la misma descripción del proceso de percepción es un acontecer poético para el lector: se trata de que pulsión métrica y pulsión del «spirito» por la mente van al unísono y son la misma vía. Y además, el poeta llega a crear la expresión «spirito dolente», que rompe en cierto modo la definición mecanicista aristotélica pues da la impresión de que, al igual que «dolorido sentir», la imagen perceptual o espíritu (*species*) ya está en sí dolorida, es decir, en un estado –de percepción– de sus órganos –«lágrimas»– y de su mente que en sí está ya previamente dolorido.

En la misma línea se sitúa el ejemplo de Miguel Hernández: «Tanto dolor se agrupa en mi costado, / que por doler me duele hasta el aliento» («Elegía», vv. 8 y 9, *El rayo*). La palabra «aliento», como corporeidad y como algo anímico, es el lugar de encuentro ahora, pues toda significación que reúne ya está impregnada y diseñada previamente desde el dolor. Pero además, «aliento» las reúne e involucra desde la connotación que hace más imprecisas y permeables las fronteras entre lo que es el aliento físico del aire que se respira y lo que es en sí el ánimo. Aliento es pues un todo que todo lo reúne en un estado de ánimo dolorido.

El *modo* del *sentido*

Retomamos la pregunta formulada al principio basada en el verso «el desigual dolor no sufre modo»: ¿quién lleva este modo o esta modulación del dolor? En «dolorido sentir» y en «sentido» creo haber descubierto un estado o ámbito previo que hace que las cosas y las significaciones se reúnan. Resumir este estado previo en la palabra «dolor» o «desigual dolor» sería simplificar las cosas, pues lo que recorre la linealidad es más bien un estado de ánimo básico o «receptor» -como prefiere Lezama Lima- o un estado de ánimo *(Befindlichkeit)* que templa las cosas en un lugar de encuentro –Heidegger–. Encuentro tiene aquí un sentido coloquial y profundo. Si alguien me hace la pregunta «¿cómo te encuentras?», no puedo responder con la afirmación «me encuentro»; diré «me encuentro bien, mal, estupendo, fatal.» Encontrar las cosas es, pues, darles un signo, mejor dicho, una orientación, un modo o modulación, un sentido u otro (positivo o negativo) que las atempera. Y por eso, en el poema de Garcilaso tenemos: «el desigual dolor no sufre modo.» Es «tamaño» y tan «desigual» el dolor, está tan al extremo el sentido u orientación de esta línea de encuentro, que ya no admite más modulación o atemperamiento de la que ha recibido desde un principio. De ahí que, más arriba, el poeta ponga sobre antecedentes: «suelto yo la rienda / a mi dolor» (338-339).

Y por eso, el poeta por boca de Nemoroso viene a decir: para quitarme este «dolorido sentir», es necesario que antes me quitéis la línea fundamental y de atemperamiento en que este dolor se ha modulado, esto es, «el sentido.» La palabra «modo» en este poema no es nada inocente, *modo* es la línea elemental que, en un sentido u otro, atempera las cosas en el encuentro con ellas. Por eso, cuando coloquialmente se dice «perder el sentido», se quiere significar perder la instancia ontológica que instala las cosas desde un «modo» o modulación. Y éste podría ser el significado de la modulación y moderación. En otro poema Garcilaso usa «enorme», o sea, lo que excede el modo o norma.

La gracia de estos versos está, pues, en que «quitar el sentido» es tan limpiamente coloquial como profundamente elemental en su carácter ontológico, pues viene a decir: 'para quitarme este dolor tan grande, he de arrancar «primero» y de cuajo o «del todo» el sentido, es decir, he de «perder el sentido», la «orientación» y el «modo» que me lleva a encontrar las cosas'. *Sentido,* con Heidegger de la mano, adquiere entonces una nueva significación más allá de la escolástica, cual es la de ámbito o estado de ánimo básico que crea la posibilidad de que las cosas se encuentren y se instalen en una línea fundamental de modulación que las recorre; esta línea instala a las cosas según la orientación o sentido en que vienen dispuestas.

«Un mout grant sen»

Perder el sentido y encontrarlo. El sentido lo he venido entendiendo como el sentido de los sentidos, es decir, la orientación hacia donde se encamina la atención y, además, lo que he catalogado como una experiencia de encuentro: esto es, sentir que las cosas sean encontradas en un ámbito de involucraciones entrelazadas por un estado de conciencia. Falta un último ejemplo. Es la bella historia del poema de Jean Renart, *Lai de l'ombre* ('la imagen reflejada'), que está muy bien comentada por Giorgio Agamben (*Estancias,* 125): el amante ha ensortijado un anillo a la dama sin que ella se dé cuenta, ésta lo rechaza en otra escena donde se lo devuelve en la certeza de que volverá a los dedos del amante; pero, ante el total asombro de la dama, él da un giro a su mirada y a su atención, y se pone a dialogar con la imagen de la amada reflejada en un pozo a cuyo reflejo da y arroja el anillo:

> L'anelet prent et vers li tent.
> «Tenez –fet il– ma douce amie;
> puis que ma dame n'en veut mie,
> vous le prendrez bien sans meslee»
> (vv. 894-896)[5].

Es en este giro donde me gustaría pararme, en el preciso instante en que ella se sonríe porque se está librando del anillo:

> Cele s'en sozrist, qui couidoit
> qu'il le deüst remetre el suen;
> mes il fist ainz un mout grant sen
> qu'a grant joie li torna puis.
> (374-377)[6]

La experiencia del amante y de la amada en esta poesía se presenta como «un mout grant sen», o como prefiere Agamben «una proeza y una cortesía tan llena de sentido» (Agamben, 126). El *sen* podría ser el sentido que toman los sentidos, el sentido y la orientación que de repente ha tomado la vista de ambos; y podría ser también el sentido como un lugar de encuentro de algo intangible (el reflejo en el agua) sólo tocado por un estado de ánimo, que en este caso es la alegría del amor: «qu'a grant joie li torna puis.» La experiencia termina siendo de sentido y significación, pues la mirada es aquélla que se fija en las cosas para instalarlas en un «hémisphère» (como prefiere Baudelaire) de involucraciones, donde las cosas se tocan según el estado de alegría y placer («joie») que causan[7]. Para el amante del poema de Jean Renart, lo mismo en cierto modo que Pascal y Gide, «l'amour c'est le toucher»:

> ...si meschoisi mie
> en l'aigue, qui ert bele et clere,
> l'ombre de la dame qui ere

la riens el mont que miex amot.
(Apud. Agamben, 125)[8]

No la dama, sino la sombra de la dama se convierte en una cosa («riens»), un pequeño hemisferio de llamadas sólo tocados por esta *joie* de amor.

Así las cosas, vuelvo a retomar la pregunta de este capítulo: ¿con qué nos quedamos: ver, oír, tocar, sentidos, sentido? La palabra privilegiada es, pues, *sentido,* en las definiciones que he venido manejando. Baudelaire coincide en cierto modo con Aleixandre: «Voilà que j'ai touché l'automne des idées / Et qu'il faut employer la pelle et les râteaux...» (L'ennemi, *Fleurs).* Pala y rastrillos para sacar a flote tierras anegadas, todo un mundo de sentido que ha de palpar el pensamiento en estado de mortal dejadez u otoñal. Unos dolor y otros abandono, pero todos definen el propósito y el fin al que se orienta el *sentido* tal y como yo lo entiendo con la ayuda de Heidegger, y como creo que lo expresan los poetas: un «párpado doloroso», una «vista sublimada», «gli occhi tuoi», una «cerviz enflaquecida», «riens: un mout grant sen», «Un hémisphère dans une chevelure», «ideas [que] son dedos» y «l'automne des idées». En mi opinión, y para terminar, la comprensión del texto es el acto de prender, de asir, esto es, tomar o coger con la mano; que en este caso se traduce como adherirse con el sentido a un mundo de sentido. Tocar, en definitiva, es prender, aprehender un amasijo de significaciones y llamadas que se confabulan y ordenan en aquellos puntos que verdaderamente tocan.

Después de tan larga andadura de la segunda parte, merece la pena hacer unas breves conclusiones.

Texto en su espacio de referencia y lector en el de su deferencia, o viceversa, texto-deferencia como invitación o revelación de la realidad y lector-referencia como actividad concreta fundada en la deferencia, coinciden en el preciso lugar de encuentro que es la palabra poética en estado de comprensión. Por lo tanto, de esa comprensión o núcleo surgen las articulaciones de referencia y deferencia: la *de*ferencia es *di*ferencia atenta que da sentido a las *re*ferencias mentales o conceptuales. Por otra parte, la deferencia, cuando está en estado vivo de comprensión, se traduce de inmediato en *imitación,* es decir, ponerse en manos del texto y sus referencias e involucraciones. Imitar o ponerse en manos del texto se lleva a cabo cuando por ambas partes, texto y lector, se despliega un estado de ánimo fundamental que permite generar la palabra poética como un lugar de encuentro donde la significaciones son encontradas y uno se encuentra (bien o mal) en las significaciones. La realidad del hecho poético está en ese primer estado de reacción ante las significaciones que hace asirlas por aquellos puntos que involucran y llaman la atención; puntos que, reunidos en ese estadio previo que es la deferencia, forman un primer diseño o bosquejo de aproximación a la realidad poética. Imitar es, pues, hacer coincidir en un mismo *topos* de encuentro los puntos de involucración y contacto que parten del texto como referente y llegan al lector como deferente, o viceversa (lector-referente, texto-deferente); todo ello, en una acción conjunta que tiene su origen y facticidad en el estado fundamental en que son recibidos el sentido y las significaciones. En la obra de Garcilaso de la Vega, tres palabras o tres *topoi* o lugares de encuentro permiten individuar esta labor de imitación y comprensión. La primera es *estado,* vale decir, *topos* o lugar de encuentro de la palabra poética donde las significaciones son reunidas o suspendidas en una totalidad generada por el estado de ánimo en que son recibidas. La *contemplación* sería la apertura de un espacio de atemperamiento, pues contemplar supone (A) templar el encuentro de la palabra poética desde (B) un primer estado de ánimo o reacción que coloca (C) todas sus significaciones en una dirección (D) o sentido determinados:

(A) «Cuando me paro a contemplar mi (B) estado [...] / (C) hallo [...] / (D) que a mayor mal pudiera haber llegado»

El *pensamiento* o cogitación es el *topos* o lugar de encuentro visto ahora como un espacio de recorrido donde las significaciones y el sentido discurren o se agitan en una determinada orientación según el temple en que son recibidos. Así un estado de bienestar o versión positiva las hace circular «dulce y blandamente», mientras que un estado de malestar, de «mayor mal» o de aversión las lleva a contracorriente o *ab tort,* en «áspero camino.» Pero en cualquier caso, sea a corriente (versión) o sea a contracorriente (aversión), el pensamiento se distingue por ser un espacio que da una versión o un recorrido de la palabra poética.

Por último, el *sentido* es el mero toparse con las significaciones en este preciso *topos* o lugar de encuentro de la palabra poética. Topar significa tocar y sentir la palabra poética, pero agarrándola sólo por aquellos puntos a los que lleva un estado de ánimo particular. Tocar o sentir es, pues, el hecho fundamental de dar un modo o contingencia especial a las significaciones («dolorido sentir»); y es fundamental, porque modular o templar el encuentro es el único modo de encontrarlas en la unidad de ánimo («desigual dolor») en que son recibidas. Si se pierde este modo de cómo discurre el sentido, se pierde la instancia ontológica que permite generar cada encuentro con las significaciones de la palabra poética.

NOTAS

[1] Aristóteles en la primera parte de la *Metafísica* dice que el tacto es el origen de todos los sentidos. Más tarde, la escolástica privilegia la vista y el oído, como sentidos más alejados de la materia. De ahí que se uniera el platonismo con la teología: *visión beatífica* y *fides ex auditu.*

123

² Proceso estudiado por Agamben en *Estancias,* pp. 131-156. Un estudio sistematizado en Anthony Kenny, *Aquinas on Wind,* New York, Routledge, 1993.

³ «Lágrimas ascienden de mi mente / tan rápido como a esta mujer siente, / que van abriendo por los ojos un camino / por donde pasa un espíritu doliente / que entra por mis ojos tan delicadamente / que no puede descubrir el color más allá / donde la imaginación pueda definir.» (Traducción mía.)

⁴ Aspecto tratado por Gianfranco Contini en la edición que manejo: «La figurazione della donna, penetrando per gli occhi dell'uomo, li trova ostruiti dalle lacrime: di conseguenza non può accompagnarsi a una visualizzazione del colore, e l'immagine resta generica e inadeguata per il contemplante», *Poeti del duecento,* 513, n. 21-4.

⁵ «Toma el anillo [devuelto de manos de la amada] y se lo tiende [a la imagen reflejada (verso 894)]: 'Tomad –le dice [al reflejo]– mi dulce amiga; porque mi dama no lo quiere, vos bien lo tomaréis sin inconveniente'.»

⁶ «Ella sonrió ya que pensaba que volvería a ponerlo en el suyo [el dedo de él], pero él hizo una proeza de gran sentido que le envolvió después en gran alegría [cual era la de hablar a la imagen refleja].»

⁷ Para Agamben la *joi d'amor* se convierte en una *stantia* que reúne a la vez palabra, deseo y fastasma: «la inclusión del fantasma y del deseo en el lenguaje es la condición esencial para que la poesía pueda concebirse como *joi d'amor.* La poesía es, en sentido propio, *joi d'amor* porque es ella misma la *stantia* en la que se celebra la beatitud del amor (Agamben, 221).

⁸ «Discernía en el agua, clara y limpia, el reflejo de la dama, que era la cosa que sobre todas más amaba en el mundo.»

TERCERA PARTE

La espiral de sentido y los tempos de «El vals» de Vicente Aleixandre

I. La lengua como diferencia

La poesía de Aleixandre, en palabras de Luis Cernuda, es «una sublimación de instinto posesivo de origen sexual»; lo que no puede conseguir tocando la realidad, lo hace «dando expresión en el verso a la hermosura visible, poseyéndola así de otro modo, haciéndola suya con el pensamiento» (Cernuda, 456). De esta definición se desprende, entonces, que el verso se configuraría como una unidad de pensamiento que constituye su propio espacio poético. Esta unidad de pensamiento como trasfondo de la creación y de la lectura resuelve la siguiente distinción «alma» y «cuerpo» –o en términos de Cernuda «pensamiento/instinto» y sexualidad– dentro de una dimensión lógica y lingüística:

> ¿Son almas o son cuerpos?
> Son lo que no se sabe
> Esas fronteras deshechas de tocarse las dos filas de dientes
> ese contacto de dos cercanías
> que tan pronto es el mar
> como es su sombra erguida
> como es sencillamente la mudez de los labios
> («Formas sobre el mar», *Espadas como labios (EL)*, 112, 36-42.)

Se detecta una unidad de génesis lingüística donde el poeta se sitúa en «las fronteras» o el «contacto de dos cercanías», que son para Cernuda realidad y deseo, pero que en Aleixandre constituye la franja común del logos en su estado de creación y prospección en un mundo de sentido –«lo que no se sabe»–, o de mudez pre-liminar de la lengua («mudez de los labios»), esto es, en un estadio en el mismo umbral de la palabra. No es simple representación la palabra, sino llamada al misterio y al silencio. Tal concepción de la palabra poética y de la lengua viene proyectada desde *Ambito:*

> Su lengua –sal y carne–
> dice y calla.
> La frase se dilata,
> en ámbito se expande

y cierra ya el sentido, allá en lo alto
—terraza de su frente—,
sobre el vivaz paisaje.
(«Retrato», *Ámbito [A]*, 97 17-23.)

Como su propia naturaleza etimológica indica, el «ambito» (*amb* e *itus* —de *ire*) es también un espacio de pensamiento («terraza de su frente») que el sentido *recorre* sobre la materialidad de la expresión poética («sobre el vivaz paisaje»). La lengua, por lo tanto, está otra vez en ese terreno entre lo que se «dice» cuando es expresión poética y lo que se «calla» cuando «se dilata» o «se expande» en el tiempo de un recorrido mental. El callar es también una forma de lengua, o como dice Heidegger: «sólo quien habla puede callar». El poema, por tanto, tiene su génesis en este *ámbito* de pensamiento que es la palabra, donde se instala su sentido; y precisamente, el sentido es el que da realidad al poema. Si para Ricoeur «la estrategia del lenguaje propio de la poesía, es decir, de la producción del poema, parece consistir en la constitución de un sentido que intercepta la referencia y, en definitiva, anula la realidad» (Ricoeur, 300), esto lleva a pensar que la única realidad, en este poema y en general en la poesía de Aleixandre, es la lengua como diferencia o dimensión que constituyen la realidad generada en el poema. En este sentido, la «materia» poética o el sentido resulta ser:

Cadencia y ritmo,
y augur
de cosas que tú aventas
con tus dedos abiertos,
hacia mis ojos, recargados
de tu sospecha.
(«Materia», *A*, 172, 1-6.)

Los límites son los de la visión, pero entendida como «sospecha» o centro donde se instala la lengua en forma de aprehensión preliminar de las significaciones según el grado de involucración —«sospecha»— en que son recibidas. Esto supone que la lengua, pues, no es sólo expresión sino aprehensión o asir «cosas que tú aventas / con tus dedos», esto es, las significaciones desde los tentáculos y ejes que la propia poética crea: «cadencia», «ritmo», «augur», «sospecha». ¿Quién es el «tú»? El poema mismo, que genera su propia realidad.

En *Pasión de la tierra [PT]*, se propone un concepto de lengua como diferencia primordial que permite comprender y aprehender las significaciones. Así en «Víspera de mí», el poeta pide que el ámbito donde se constituya la creación se haga desde su propia palabra: «Dejadme que nazca a la pura insumisa creación de mi nombre» (*PT*, «Víspera...», 108). Este «nombre» o palabra poética se puede enfocar desde un concepto de lengua como diferencia ontológica, entendido este adjetivo desde Heidegger: dimensión lingüística primordial del ser donde se instalan, se comprenden las cosas y se les da realidad. La significación de lengua como diferencia viene aclarada, no en el sentido de «distinción ni relación», más bien

> la diferencia es dimensión del mundo y de las cosas. Pero en este caso dimensión no de un espacio preexistente, en el que se colocan los objetos. La diferencia es la dimensión única, en la medida en que la diferencia co-mide al mundo y la cosa a ser lo que cada uno es. Ese co-medir es el que abre la distinción y mutua implicación de mundo y cosas. Este abrir es la manera como la diferencia mide aquí a los dos. La diferencia mide, como centro para el mundo y las cosas, el espesor de la esencia de ese centro. En el llamar que llama al mundo y las cosas, lo evocado es la diferencia. (Heidegger, *El lenguaje*, 23.)

La diferencia es pues la apertura más básica donde las cosas adquieren su entidad porque están instaladas en una dimensión que les da toda la realidad, su nombre. El poeta, en este sentido, pide «la pura insumisa creación de mi nombre», como una dimensión donde poder medir las realidades desde el mismo entorno en que son concebidas mentalmente o nombradas en una apertura lingüística que les da toda su realidad. El poeta rechaza cualquier apertura heredada, y sobre todo una retórica prefabricada de la «pasión» o el ser que ilumina las cosas –recuérdese el lema de Marinetti «uccidiamo il chiaro di luna»–: «una dulce pasión de agua de muerte no me engaña» («Víspera de mi», *PT,* 107). Y, por eso, quiere ocultarse de esta retórica de formas establecidas, y extender el tacto de su ámbito poético desde un estado de libertad: «ocultándome de las formas y aves, de la blancura de un futuro premioso, puedo extender mi brazo hasta tocar la delicia» («Víspera...», 107).

Esto hace que el poeta quiera volver a un estadio primordial y constitutivo de la palabra: «Despojándome las sienes de unas paredes de nieve, de un reguero de sangre que me hiciera la tarde más caída, lograré explicarte mi inocencia. Si yo quiero la vida no es para repartirla. Ni para malgastarla. Es sólo para tener en orden los labios» («Víspera...», 107). Esta inocencia se puede comprender desde la libertad absoluta que le lleva a hablar una lengua que es primordial diferencia existencial, pues la lengua le permite algo tan elemental e inocente como poner «en orden» su existencia en la dimensión más primordial que da realidad a las cosas, el lenguaje. En definitiva, desea hacer prospección en la palabra desde una lengua entendida en un estado de génesis, y libre de cualquier aproximación o funda retórica: «Si yo quiero la vida es [...] para dormirme a mi hora sobre una conciencia sin funda» (107). A partir de esta «conciencia» libre de esquemas heredados, el poeta puede desplegar los tentáculos de su palabra poética: «Sabré percibir los colores. Y los olores. Y la pura anatomía de los sonidos» (107). En resumen, el poeta propone al final: «Por eso estoy aquí ya formándome. [...] Con la firmeza de mi voluntad yo levantaré vagos techos y luego los alzaré como tapas [...] Dejadme que nazca a la pura insumisa creación de mi nombre» (107 y 108). La petición consiste en que la creación debe partir con su propio diseño y con las propias dimensiones que nacen de la lengua misma como ejercicio de «conciencia» libre y «sin funda» donde se generan las significaciones y se da, en un ámbito, toda la realidad a las cosas.

Este concepto de poesía como ejercicio primordial de la conciencia en su carácter lógico y lingüístico aparece en *Espadas como labios* (1932), que es donde está inserto el texto que ocupa este estudio. El ejercicio poético viene presentado como una «iluminación de recuerdos» que permite hacer prospección en los rasgos más elementales de la lengua poética:

> Alerta alerta alerta
> Estoy despierto o hermoso Soy el sol o la respuesta
> Soy esta tierra alegre que no regatea su reflejo
> [...]
> Pero esta alegre compañía del aire
> esta iluminación de recuerdos que se ha iluminado como una atmósfera
> ha permitido respirar a los bichitos más miserables
> a las mismas moléculas convertidas en luz o en huellas de las pisadas
> A mi paso he cantado porque he dominado el horizonte.
> («Nacimiento último», *EL*, 55, 2-11.)

Se puede interpretar ese «horizonte» como una dimensión cósmica o panteísta. Pero creo que es importante señalar que la poesía ya viene instalada en una dimensión de lengua que perfila desde ella todas las significaciones, por eso, como apunta Yuri Lotman, «il est nécessaire de souligner que la "verité du language" et la "verité du message" son des concepts essentiellement différents» (Lotman, 44). Si bien hay que decir que Lotman, como buen formalista, parte inconscientemente de la distinción de lengua como forma y mensaje como contenido; concepción que difícilmente puede ser aceptada desde un punto de vista heideggeriano de lengua en su dimensión inherente de mensajera. El mensaje puede tener una concepción panteísta o cósmica de la vida, pero dentro de él hay una estructura lógica y de «conciencia sin funda» que es el horizonte donde se iluminan o colocan las significaciones. Heidegger repite la frase «el lenguaje habla» porque quiere «contrarrestar la terca costumbre de situar el lenguaje entre las manifestaciones de la expresión en vez de considerarlo desde sí mismo» (*El lenguaje*, 8). Quiere decir que el lenguaje es una apertura que, desde sus propias dimensiones mentales, coloca y nombra las cosas. Por eso, a mi modo de ver, esa «iluminación de recuerdos» o «conciencia sin funda» y ese estado de «estoy despierto» sitúan al poeta en un «horizonte» que es la lengua como dimensión mental y de conciencia donde se coloca y se ordena la existencia.

Ese estado de inmersión en la conciencia o «iluminación de recuerdos» puede ser interpretado como fluir subconsciente o ensoñación que crea un hilo a las imágenes irracionales. Pero ahora, desde este horizonte de lengua como básica diferencia existencial del hombre, conciencia es más un estado mental que permite hacer arqueología de cómo se constituyen y son comprendidas las palabras, las asociaciones y las imágenes, y sobre todo, cómo se articula la lengua en tanto que «conciencia» en formación. En este sentido incluso el subconsciente deja de serlo en cuanto hablamos de él. En todo caso es la dimensión de otredad, de huida que comporta todo conocimiento, ya que sabemos sobre todo lo mucho que ignoramos, o sea, lo que nos huye. Por eso, no se trata de aprender las palabras sino aprehenderlas o asirlas desde un estado de conciencia básico que crea la entidad de la cosa ligada al despliegue de las posibilidades de su comprensión. Esta tarea es la que vertebra todo el análisis de «El vals» que vendrá en los próximos capítulos. En definitiva, el poeta quiere, a partir de la lengua, reconstruir y vivir en su comprensión en forma de conciencia como estado básico el proceso o «marea» de significados y rasgos que le ha llevado a comprender una totalidad. Así:

> Estoy sentado y humedecido mecido por mis calores
> y las aguas traspasan mis oídos traslúcidos
> No aprenderé las palabras que me están rozando
> ni desliaré mi lengua de debajo de mis pisadas
> Pienso seguir así hasta que el agua se alce
> hasta que mi piel desprendida deje sueltos los ríos
> Oh mares que se suceden contra mi cuerpo inmovible
> peces espadas y ojos que queman bajo las aguas
> si canto pareceré la marea esperada
> y asomaré a la playa con la timidez de la espuma.
> («Playa ignorante», *EL,* 103, 12-21.)

No se trata de aprender o reconstruir las palabras desde la pura lógica, sino de dejar la lengua en estado de génesis («ni desliaré la lengua de debajo de mis pisadas») que hable por sí misma desde sus movimientos o «pisadas» más elementales.

El análisis de «El vals» que voy a iniciar tratará de ir «debajo de [las] pisadas» para reconstruir todo el proceso de comprensión que va ligado a la lengua en estado de formación dentro de esa dimensión única de lengua como una de las diferencias esenciales del hombre.

El vals

Eres hermosa como la piedra
oh difunta
oh viva oh viva eres dichosa como la nave
Esta orquesta que agita
mis cuidados como una negligencia
como un elegante biendecir de buen tono
ignora el vello de los pubis
ignora la risa que sale del esternón como una gran batuta

Unas olas de afrecho
un poco de serrín en los ojos
o si acaso en las sienes
o acaso adornando las cabelleras
Unas faldas largas hechas de colas de cocodrilos
Unas lenguas o unas sonrisas hechas con caparazones de cangrejos
Todo lo que está suficientemente visto
no puede sorprender a nadie

Las damas aguardan su momento sentadas sobre una lágrima
disimulando la humedad a fuerza de abanico insistente
Y los caballeros abandonados de sus traseros
quieren atraer todas las miradas a la fuerza hacia sus bigotes

Pero el vals ha llegado
Es una playa sin ondas
es un entrechocar de conchas, de tacones, de espumas o de dentaduras postizas
Es todo lo revuelto que arriba

Pechos exuberantes en bandeja en los brazos
dulces tartas caídas sobre los hombros llorosos
una languidez que revierte
un beso sorprendido en el instante que se hacía "cabello de ángel"
un dulce sí de cristal pintado de verde

Un polvillo de azúcar sobre las frentes
da una blancura cándida a las palabras limadas
y las manos se acortan más redondeadas que nunca
mientras fruncen los vestidos hechos de esparto querido

Las cabezas son nubes la música es una larga goma
las colas de plomo casi vuelan y el estrépito

se ha convertido en los corazones en oleadas de sangre
en un licor si blanco que sabe a memoria o a cita
Adiós adiós esmeralda amatista o misterio
adiós como una bola enorme ha llegado el instante
el preciso momento de la desnudez cabeza abajo
cuando los vellos van a pinchar los labios obscenos que saben

Es el instante el momento de decir la palabra que estalla
el momento en que los vestidos se convertirán en aves
las ventanas en gritos
las luces en socorro
y ese beso que estaba (en el rincón) entre dos bocas
se convertirá en una espina
que dispensará la muerte diciendo:
Yo os amo.
(«El vals», *EL,* 59-61.)

II. La lengua como deferencia: una referencia suspendida

«El vals», como título, lleva en un principio a una referencia, en cuyo *re-* está inscrito el recorrido por las significaciones literales: pieza de danza que consta de movimientos giratorios y de traslación, con ritmo ternario (óoo), y que va a la velocidad del compás. La referencia es vista como lo que se refiere o se lleva *(fero)* a los límites de la comprensión. Quiere decir que la objetividad de «El vals» consiste en aquello que el lector comprende, es decir, la proyección de unas posibilidades de comprensión que parten del referente y que vienen dadas al lector desde ese «re-». En este aspecto de la comprensión sigo la hermenéutica de Heidegger que, con raíces en Husserl, define la entidad de una cosa como ligada a la conciencia o al despliegue de posibilidades de comprensión. Y todo ello, no porque la mente ponga nada en el objeto, sino porque los objetos se descubren en el mundo o estructura de sentido del hombre.

Y este ir del referente a los límites de la comprensión se puede traducir en términos puramente lógicos: se trata de igualar lo que se refiere con lo que se comprende, siguiendo la fórmula tan simple de «adaequatio intellectus ad rem». O dicho de forma más sencilla: la idea es hacer coincidir la estructura léxica y de significación que define el vals con la imagen mental presente en el poema «El vals». Ahora bien, tal coincidencia se interfiere con dos estructuras: primera, la red de coordenadas y dimensiones que el propio poema establece dentro de una operación donde, como apunta Ricoeur, «se *suspende* la relación del sentido con la referencia» (*Metáfora viva,* 298, subrayado de Ricoeur). Y segunda, la estructura de la comprensión del lector que Heidegger define principalmente como la proyección desde un ángulo de atención o preocupación (*Sorge*); ejercicio que, traducido a presupuestos literarios, voy a encuadrar en términos de deferencia, caracterizada ésta por tocar aquellos puntos de la referencia por los que se siente inclinada.

La primera estructura hace que esta operación de coincidencia o *adaequatio* no se convierta en imitación, sino creación de una obra en el sentido de génesis de sus propias dimensiones. Afirma Paul Klee: «en vez de una imagen finita de la naturaleza, la imagen –única que importa– de la creación como génesis» (28). Propone, ya en un punto más extremo, Gerardo Diego: «imagen múltiple. No reflejo de algo, sino apariencia, ilusión de sí propia» (*Imagen múltiple*, 69). Y por eso, el título «El vals» lleva un artículo determinado que precisamente invita a individuar y determinar un mundo que se abre desde sus propias dimensiones y coordenadas.

La segunda estructura, la de la comprensión y la deferencia, enmarca todo este ámbito de suspensión con dimensiones y coordenadas propias en una línea de comprensión. La referencia era llevar significaciones que se despliegan desde el recorrido material del *re-*, caracterizado por ser un ámbito donde todo está suspendido en la dimensión propia de la obra literaria. La deferencia, en cambio, significa inclinar esta materialidad desde un ángulo de consideración o preferencia. El *de-* implica, como su mismo significado etimológico indica, un movimiento de arriba a abajo. Quiere decir que llevar las significaciones y dimensiones que «El vals» crea por sí mismo, supone a su vez diferirlas en una línea mental de inclinación donde hay un espacio y un tiempo particular que todo lo coloca. Por ello, entre el referir y el deferir se abre un ámbito de contingencia donde las significaciones y el sentido (el *re-*) suceden desde el preciso momento en que son tocados por una actitud mental que los inclina en la dimesión especial del *de-*, esto es, línea de espacio y de tiempo de la comprensión. O dicho de forma más sencilla: la comprensión lleva su tiempo, esto es, la velocidad mental de movimiento necesaria para que una comprensión atenta y deferente recorra las palabras y su red de significación y sentido. Y este tiempo mental se puede denominar con la palabra *tempo*.

Ahora bien, si las significaciones del referente llaman a ser encuadradas en un ángulo de inclinación o esa estructura de preferencias o preocupación del deferente que va mucho más allá de una simple *adaequatio*, y si, además, esta operación queda «suspendida», como apunta Ricoeur, en unos ejes y dimensiones literarios que el propio texto instaura, cabe preguntarse por la misma objetividad del texto, en este caso «El vals»: ¿cuál es la entidad de esta estructura de sentido cuya relación con la referencia ha quedado suspendida? Si entre el referir y el deferir hay una línea de conciencia o de proyección de posibilidades de comprensión ligada a la referencia, ¿cómo son colocadas las significaciones en esta línea? o ¿cuál es la relación establecida entre las significaciones donde es posible desplegar puntos del referente que son detectados por los tentáculos de una estructura de atención o deferencia? La objetividad es, sí, aquello que se comprende, pero dentro de una estructura de relaciones, reciprocidades y llamadas que dan toda la objetividad al objeto literario. Por ello, el poema «El vals» es igual (nueva *adaequatio)* a la estructura de significación y sentido que se define por una red de "significancia", esto es, otra vez en términos heideggerianos, un mundo de interrelaciones, involucraciones y llamadas[1] que se une en un todo según el grado de implicación de las significaciones. Por ello, la objetividad del texto no es la referencia a ojos vistas –un vals, por ejemplo–, sino la relación que lleva a esa referencia; en este sentido, completo la cita anterior de Gerardo Diego: «las palabras no dicen nada, pero lo cantan todo; y se engarzan en una libre melodía de armonías» (*Imagen múltiple,* 69). Y por eso, lo que define a una obra literaria es su carácter fundante, su autonomía para crear por su propia cuenta y desde sus propios términos una red de relaciones lingüísticas y de comprensión, en definitiva, «una libre melodía de armonías».

III. Tempo de formación

«El vals» de Aleixandre, como título en sí mismo, invita a insertar el compás, la velocidad, el movimiento, el ritmo –ternario (óoo) del vals– y el tiempo, desplegados del referente de un «vals», en esta línea mental que los difiere a un ámbito de inclinación en que son encontrados dentro de un *tempo* de comprensión. El *tempo,* como recurso musical, viene marcado en el vals por las indicaciones del compositor, por ejemplo, *allegro, adagio, presto, andantino, rondò.* En «El vals» de Aleixandre hay un tiempo de la creación que corre paralelo a la métrica del verso, y que se rige desde un orden sintáctico: oraciones copulativas («eres hermosa...», «las cabezas son nubes»), sintagmas enumerativos («unas olas de afrecho...», «un polvillo de azúcar...»), oraciones –transitivas e intransitivas, copulativas– con partes de la oración que indican temporalidad («las damas aguardan *su momento*», «pero el vals *ha llegado*», «ha llegado *el instante, / el preciso momento* de la desnudez», «es *el instante el momento* de decir... *el momento* en que los vestidos»). Pero, al lado de este tiempo del referente corre paralelo el *tempo* en que se suspende la referencia y la creación dentro de esa línea de comprensión y deferencia que difiere y coloca las significaciones. Desde estas premisas paso a analizar el poema:

> Eres hermosa como la piedra
> oh difunta
> oh viva oh viva eres dichosa como la nave.
> (1-3.)

Sintácticamente, las tres primeros versos se presentan en forma de intervalos regulares organizados como si fuera un quiasmo (**AB.C – C. AB**)[2] y al modo de repeticiones de sonidos en aliteraciones y paronomasias: «(A) er*es* herm*osa* (B) *como* la piedra / (C) oh difunta/ (C) oh viva oh viva (A) er*es* dich*osa* (B) *como* la nave». Este diseño sintáctico y fonético es posible desde una deferencia o apertura básica que lo despliega en una inclinación atenta a las repeticiones y paralelismos donde se colocan, en un tempo, las significaciones. Y esta deferencia particular no es algo subjetivo, sino que parte y se despliega desde el mismo referente poético que se da ya en el principio: el vals, como un baile de ritmo ternario y que va a la velocidad del compás. Y por eso, el quiasmo y las paronomasias son acordes con este ritmo acompasado del vals, que el lector sólo despliega desde una deferencia atenta a estos rasgos.

Quisiera ahora centrarme en los dos primeros versos: «Eres hermosa como la piedra / oh difunta». Hermosa es 'perfecta en su línea' (*DRAE), formosa* diríamos, esto es, 'perfecta en su forma'. El mismo referente de «hermosa» invita a reunir las significaciones desde la perspectiva de la forma. Pero la actividad de reunir implica un tiempo de la comprensión y de la creación que se define como un tiempo sintetizador pues las significaciones de la referencia —«hermosa»— son reunidas en un todo cuyos puntos son los que marca y diseña una deferencia atenta a las formas. Es decir, las significaciones son tocadas, diseñadas y reunidas en la horma previa de la perfección en su línea. El lector, por tanto, puede entrar en un *tempo de formación,* vale decir, de deferencia a la *forma* que se desprende de «hermosa». Y además, la formación puede interpretarse también desde el sentido paralelístico, antes comentado, que se desplegaba del vals como título y como baile: formación es también conjunto de formas de iguales características. (Así lo pide una atención sensible al sentido geológico del todo «hermosa como la piedra» o conjunto de masas minerales que tienen las mismas formas geológicas y paleontológicas.) Y todo ello, llevado a términos literarios, definiría la formación como el conjunto de significaciones que presentan el mismo perfil y la misma génesis. Con lo cual se plantea de nuevo el asunto preliminar acerca del poema como apertura de sus propias coordenadas y dimensiones.

En este sentido, puede ser interesante explorar este aspecto geológico que se despliega desde la expresión «como la piedra». Ésta genera un referente de significaciones en lo que tradicionalmente llamamos denotación, connotación y estereotipo. Haré una selección de entre las significaciones, sinónimos y familias léxicas (estos dos últimos en cursiva) catalogados en la entrada de «piedra» del *Moliner:* material de las rocas, *fósil, adoquín, lápida, veta, cantera,* sillar o trozo de roca tallado para construir, piedra preciosa, lápida. Entre las que señala el *DRAE:* (fig.) «base o fundamento principal de una cosa, origen o principio de donde dimana una cosa, *echar la primera piedra».* Una deferencia ha de extenderse por estas significaciones elaborando un área de contingencia y de síntesis que las coloca en su ángulo de inclinación. Y así, podrían originarse dos elementos sintetizadores y de contingencia: el rasgo de 'fundamento' y el de 'antigüedad', en lo se podría denominar como algo arqueolítico. Pero no hay que olvidar que ya hay una apertura con su propio tempo de formación que partía de «hermosa» en el sentido de *formosa,* y de la que es posible desplegar un significado progresivo que va hacia «piedra» y que se expresaría en el rasgo de 'construcción'. Por su parte, «piedra» hace que la inclinación regrese hacia atrás –hacia «hermosa»– sacando a la luz el rasgo de 'antigüedad' que se desvela desde una formación como forma en el tiempo. En definitiva, desde el referente «hermosa como la piedra» es posible crear un área de suceso o contingencia sensible a la formación que precisa de un *tempo* de atención inclinado a las formas («hermosa» o *formosa*), inscritas como vetas acumuladas en el tiempo y en la antigüedad (*archaios*). Se invita, pues, en «eres hermosa como la piedra» a un tempo mental que funciona como una prospección en el tiempo; o en otras palabras, un tempo arqueolítico.

A su vez, esta apertura de la prospección tiene un movimiento progresivo que afecta a la deferencia con que es tomada «difunta». Es más, cabe hablar de un objeto cubista de significado tridimensional, en el prisma «hermosa» / «piedra» / «difunta». Y así, en «oh difunta» aparecen rasgos como: falto de vida, funeral, día de difuntos, final del tiempo, trascendencia. Y por eso, esta apertura del *tempo* arqueolítico permite que salga a la luz, tanto por el «oh» como por el «difunta», el rasgo de 'conmemoración', que sería más difícil desplegar desde «muerta.» Y es que la conmemoración ya estaba abierta en «hermosa como la piedra» si se toma «hermosa» como invocación del poeta, y «piedra» en el rasgo de construcción, antes señalado, y en el sentido de algo conmemorativo (piedra pulida, lápida). Por ello, esta apertura hace reverberar en «difunta» el rasgo de 'forma en el tiempo'. Así, «difunta» queda inserta en ese tempo de prospección o arqueolítico, es decir, de forma sepultada en el tiempo.

Un pequeño paréntesis. *Rasgo* es precisamente esa dimensión poética que dimana del texto y de la referencia puramente léxica como una característica esencial que se despliega desde una deferencia y un tempo que lo toca en un ángulo de comprensión.

Así las cosas, el resultado de esta lectura ha llevado a recorrer significaciones en formación. Entiendo esta última expresión en el doble aspecto anteriormente comentado: formación como conjunto de formas que se parecen, y formación como creación o génesis de un objeto literario tridimensional. Y precisamente, este tempo de formación ha permitido limar los contrastes en palabras muy diferentes («hermosa-piedra-difunta»), y desde una deferencia que busca formas parecidas para sintetizarlas en un todo. Ahora bien, cabe señalar que la búsqueda de formaciones se ha hecho con el objetivo de encontrar sentido a las cosas, esto es, a las imágenes que venían construidas desde ámbitos aparentemente distintos: era necesario marcar un pasaje de «hermosa» a «piedra», o, como después se verá, de «dichosa» a «nave», que después desemboca en la oposición «oh difunta / oh viva oh viva». Por eso, el planteamiento se hace ahora desde una definición de *sentido* que permita aclarar por qué es posible establecer un pasaje entre dos opuestos; y ahora pondré por caso un verso más de lo que llevo comentado: «oh difunta / oh viva oh viva».

Y en lo que a esto toca, replantear el aspecto del tiempo y del tempo de la creación puede aclarar posiciones, sobre todo desde el punto de vista de la progresión y de la regresión. Pues, precisamente, para crear sentido es necesario ir hacia adelante atravesando paralelismos y contrastes, y creando una línea de progresión que penetre formaciones como «oh difunta / oh viva oh viva». Una definición geométrica de sentido puede servir para entender esta idea de ir hacia adelante: sentido en geometría es «el modo de apreciar una dirección desde un determinado punto a otro» (*RAE*). Pero también sentido puede explicarse desde el punto de vista de la percepción, como *sensus*. O también de otro modo: como una estructura de significación. Todas estas acepciones, traducidas a términos literarios, y en un bosquejo de definición, quedarían en que el lector busca un sentido con el sentido y desde un determinado sentido u orientación. Por lo que toca a esta estructura, Pedro Salinas supo intuir que *Espadas como labios,* «detrás del ininterrumpido fluir de las palabras [...] encierra un denso sentido» (ver nota 11).

Pero ahora, ya desde el ángulo de la referencia/deferencia con que hemos venido funcionando, la definición podría quedar en: *sentido* es la facultad que permite recorrer las palabras y las significaciones que salen al paso a la comprensión allí donde ésta se inclina en una actitud deferente con aquellos puntos que toca, de modo que marca una dirección por donde se orientan y se desenvuelven las cosas. Ahora bien, el hecho de dejar a trasmano en mi análisis algunos rasgos y significaciones, y sobre todo muchos contrastes, lleva a plantear el sentido, no como una línea de puntos que se han venido tocando, sino como una franja donde las significaciones son colocadas en orden de contingencia, es decir, según el grado en que son tocadas, el cual determina a su vez el grado de suceso o la medida en que ocurren, y el tiempo de sucesión. Así en «Eres hermosa» a secas, sobresalía una línea de sentido desde puntos sensibles a la forma, pero quedaba latente o en un segundo grado el rasgo de forma como resultado de acumulación de formas, el cual pasaba a un primer plano en contacto con «piedra» y «difunta». Cabe, entonces, comparar esta franja de sentido con un punto erógeno que se extiende en ondas expasivas según el grado y la repercusión de placer sexual o *jouissance* –en un caso–, o la inclinación y sentido unidos –en el otro.

Una vez que han quedado perfiladas las definiciones de sentido, referencia, deferencia, hay que ver ahora cómo circula el sentido en oposiciones tan patentes como en «oh difunta / oh viva oh viva eres dichosa como la nave». Una primera dificultad para el lector sería comprender y superar, esto es, trazar sentido, desde el contraste «oh difunta / oh viva oh viva», máxime cuando el segundo «viva» está seguido por «eres», es decir, «viva eres», cadena sintáctica que surge no en una puntuación prescrita, sino libre, según el tempo del poeta y del lector. Y otro segundo paso es establecer un hilo de sentido en «eres dichosa como la nave».

El paralelismo sintáctico con el primer verso «eres hermosa como la piedra» hace que el sentido regrese al anterior orden mental de colocación y, sobre todo, a esa deferencia sensible a la formación y las formaciones. Y por eso, la secuencia semántica «viva-dichosa-nave» hace regresar a un orden mental y semántico de tridimensionalidad presente en «hermosa-piedra-difunta». Así, en la lectura de «eres dichosa como la nave», estas dos formaciones –sintáctica y semántica– son posibles porque de antemano había abierta una deferencia sensible a las formas y, por tanto, un tempo de formación. Y volver a este mecanismo de relaciones sintácticas y a ese tempo de formación lleva a resaltar en mayor grado, en la creación del poeta y en la comprensión del lector, el contraste difunta/viva y, sobre todo, la sensación de que dos líneas paralelas («hermosa-piedra-difunta / viva-dichosa-nave») nunca se cruzan, pero a su vez comparten una franja común por donde se sitúa el sentido.

Y así, en este afán de trazar sentido, conviene explorar las significaciones que se desprenden de este tercer verso para ahondar más en la franja de sentido. La «dicha» viene definida como 'suerte feliz', de donde se despliegan significaciones como 'ventura', 'casualidad', 'contingencia de que algo sucede bien', 'destino', 'encadenamiento de sucesos'; en *Moliner*, la dicha es el «estado de ánimo de la persona que tiene lo que desea». En lo que respecta a «nave», su sentido ya viene afectado por las significaciones de «dichosa» y, por tanto, regresa, en relación de reciprocidad, a las significaciones de contingencia o suceso que implica la significación de «nave». A su vez, la «nave», ya no a secas, sino con los rasgos de 'buena ventura' y 'contingencia' de «dichosa», da la idea de ir hacia adelante surcando el mar. Así pues, tanto uno como otro se definen porque son 'contingentes' porque están expuestos a suceder o no suceder: «dichosa» tocando la buena suerte, «nave» literalmente tocando (*contingo*) el mar para abrirse paso. Y, además, esta contingencia o inclinación por el suceder tiene sentido porque es el significado que se despliega en un principio desde «viva». Con ello, se completa esa tridimensionalidad semántica que aparecía anteriormente. Las tres palabras comparten, pues, el rasgo de progresión en un tiempo abierto a la contingencia del presente y proyectado hacia el futuro favorable.

El resultado queda, para todo lo que llevamos leído, en que, nuevamente, la deferencia ha ido buscando rasgos comunes para buscar un sentido a los contrastes y para crear formaciones. La deferencia desplegaba ya una apertura inclinada a las formaciones y a los paralelismos que permitía individuar dos líneas paralelas («piedra»-formación / «nave»-progresión) en sus aspectos fonéticos, sintácticos y semánticos. Pero ahora interesa contrastar esa franja común entre las dos líneas para decidir por dónde se orienta el sentido y por dónde se tocan los diferentes rasgos que han ido apareciendo. Sentido era abrirse paso entre las significaciones desde una orientación que está predeterminada por la deferencia con que se perciben las cosas. Además, el sentido va hacia adelante creando significación, pero al mismo tiempo es regresivo pues acumula toda la carga de rasgos y significados que ha ido percibiendo. Quiero decir que todas las significaciones nuevas que advienen son lo que son, no sólo por lo que ellas puedan significar en sí mismas, sino también porque ya vienen reorientadas y relacionadas por una deferencia que ha venido creando sentido y marcando una red de relaciones generadora, como señalaba al principio, de la propia objetividad del texto.

Por ello, parece inevitable interpretar los rasgos de «eres dichosa como la nave» a la luz de los que aparecían en «eres hermosa como la piedra», y viceversa. La primera oposición la da el mismo significado de «dicha» en el sentido de que «dichosa» es la que vive en un estado de ánimo que tiene lo que desea o le adviene, mientras que «hermosa» indicaría un estado físico caracterizado porque las formas perfectas le han sido ya dadas por la naturaleza. La primera expresa un porvenir, la segunda es el resultado de provenir de algo. «Hermosa como la piedra» representa una línea que era resultado de una acumulación de líneas en su valor de *'arkhaios'* o forma en el tiempo –un tiempo arqueolítico–. En otras palabras, tenía un carácter arqueolítico de acumulación de formas, y tectónico, porque éstas tienen como resultado una línea de perfección que el tiempo ha dibujado hasta la corteza. En la combinación «dichosa como la nave» la línea se dibuja a ras de una superficie, pero no como resultado de una acción de capas que se superponen en el tiempo, sino como algo que se rasga en la misma dimensión de un tiempo venturoso o dichoso, esto es, el presente y el futuro *(venturus)* unidos. Se pueden hacer otras oposiciones, aun a riesgo de simplificar demasiado la franja de este paralelismo: «hermosa» remite a un mundo de forma, mientras que «dichosa» lleva a un ámbito de contenido y de fondo; la primera refleja una actitud estética, la segunda, ética; una es estática o diacrónica, la otra es dinámica o sincrónica. En definitiva, «hermosa» indica un tiempo de formación, mientras «dichosa» llevaba a un tiempo de progresión.

Ahora bien, hasta ahora he intentado explicar la oposición difunta/viva, pero todavía no se ha encontrado una manera de atravesar con una línea de sentido esta oposición. En este sentido, he mencionado que en la creación poética existe una referencia desde la que se despega una deferencia o inclinación que proyecta las significaciones en una franja de sentido según los puntos que va tocando. Pero hay que aclarar cuál es la facticidad que origina este mecanismo. Y en lo que toca a este aspecto, la hermenéutica de Heidegger puede nuevamente aclarar posiciones, sobre todo desde el concepto de la *Befindlichkeit* o estado, que puede ayudar a trazar una franja de sentido en «difunta / viva». Para este filósofo, en el conocimiento que da realidad a las cosas, participa un estado en que son encontradas de antemano; es decir, todo conocimiento se define por su intencionalidad: la cosas se encuentran bien o mal, vale decir, advienen desde una actitud básica que las configura. Es imposible un conocimiento aséptico de los objetos porque ya de por sí hay una reacción primera que los perfila de antemano y los toca por aquellos puntos que afectan desde tal reacción. En resumidas cuentas: las cosas se encuentran en la medida en que el estado de ánimo las encuentra bien o mal. Por eso conviene subrayar que la *Befindlichkeit* es la constitución de la conciencia; en esta constitución afección y conocimiento aparecen inseparables mientras la filosofía comenzaba tradicionalmente con el conocimiento puro, y luego añadía la sensibilidad y la decisión.

Siguiendo esta definición, hay que preguntarse si en los versos «eres hermosa como la piedra / oh difunta / oh viva oh viva eres dichosa como la nave» existe este estado previo que configura las significaciones y da un línea de sentido que las atraviesa. En mi opinión las significaciones son encontradas, es decir, el sentido las toca, desde un estado positivo que las encuadra en una línea de perfección. El estado que nos permite trazar un pasaje y una línea de sentido en «oh difunta / oh viva oh viva» encuentra las significaciones desde un estado de creación que atiende a la perfección («hermosa-dichosa») de las formas desde dos dimensiones: el tiempo como una totalidad («hermosa como la piedra»), el tiempo como circunstancia y vicisitud («dichosa como la nave»), o, de otro modo, el tiempo de la perfección estética de «hermosa» ligado al tiempo de la perfección ética de «dichosa». Por tanto, la franja de sentido surge desde este estado previo de formación, atento a la perfección, y que ha ido tocando rasgos de la referencia y colocándolos en una estructura de sentido. Desde este estado de formación, el pasaje establecido desde «difunta» a «viva» resulta más fácil y resulta más enriquecedor porque no se trataba de anular las oposiciones sino de desplegarlas desde una actitud que las une en una línea constructiva y de sentido.

IV. El *passage*

Esta experiencia del pasaje con un sentido que circula en una dirección determinada puede ser comprendida desde un ángulo cubista que, además, está presente en la poesía nueva, y –¿por qué no?– en la poética de Aleixandre. Según Christian Brunet, en la pintura cubista el *passage* consiste en el paso de un plano a otro del objeto, representando cada uno un rasgo esencial que tiene su dimensión espaciotemporal autónoma (Brunet, 98). En general estos planos representan formas muy puras, muchas de ellas modeladas desde conceptos geométricos esenciales o, como prefiere Cézanne, «selon la sphère, le cône et le cylindre» (*apud* Brunet, 33). Quiere decir que cada plano es como un retazo del tiempo y del espacio perceptuales según vengan a la mente líneas geométricas, superficies recuperadas por lo táctil o lo visivo (madera, periódico, letras), o traídas desde una dimensión determinada (largo, ancho, profundidad, oquedad). (En este sentido, ya se ha comprobado que en «El Vals» hay esta combinación de planos y rasgos esenciales que llegan a constituir un todo tridimensional). Por último, el paso de un plano a otro trae consigo crear una línea de recorrido que permite unir los diferentes planos configurados cada uno de ellos por un rasgo. La línea de tiempo de percepción necesaria para recorrer la tridimensionalidad, en sus múltiples planos o rasgos, del objeto pictórico –o poético– genera, en definición de Apollinaire, «una cuarta dimensión»[3] de carácter temporal. Precisamente esa cuarta dimensión de carácter perceptivo, coincide con mi concepto del *tempo* de comprensión y deferencia, que va recorriendo rasgos a lo largo del texto para construir una estructura de interrelaciones y llamadas que constituye el signo poético en toda su objetividad.

En mi opinión, en la poesía moderna existe esta dimensión que viene generada por la comprensión dentro de la mente, o como prefiere Lorca, la «cámara del cerebro» (Lorca, «Góngora», 71). Es más fácil explicar esta cuarta dimensión si se establece una comparación entre poesía contemporánea y poesía de los Siglos de Oro. En la poesía antigua los planos de una metáfora vienen dados por una retórica establecida que colora –en el sentido de *colores rhetorici*– de antemano la esencialidad de cada rasgo según los universales e ideales de extracción aristotélicotomista y platónica. En definitiva, el sentido viene conducido por unos hitos ya establecidos por la retórica:

> Luzes, qu'al estrellado i alto coro
> prestáis el bello resplandor sagrado [...]
> Purpúreas rosas, perlas d'Oriente,
> marfil terso i angélica armonía.
> (Herrera, Soneto XXXIII, 67, 5-11.)

Los rasgos son las extracciones o universales de cada plano de la metáfora: de «luzes» en la significación de «troneras o ventanas por donde se da luz a los edificios» (*Dicc. Autoridades)* se percibe el sentido de 'ojos', vía el universal de la «visión» definido por Aristóteles como una «pasión que el color imprime en el aire y que del aire es transmitida al ojo» (*De anima,* 428a); de «purpúreas rosas» se llega a 'mejillas' vía el universal que adscribe a las mejillas el ideal de color rosado; de «perlas» se pasa a 'dientes' y de «marfil terso» se llega hasta 'cuello' en fórmulas ya configuradas, incluso lexicalizadas, en la retórica de la época.

Por contra, y después de lo analizado en el poema de Aleixandre y siguiendo el ejemplo de la pintura cubista, la poesía moderna ofrece planos de la realidad poética que el sentido del lector debe conectar haciendo arqueología de su propia percepción. Se tiene que hacer una prospección –la misma que se pide en «hermosa como la piedra»– desde el referente, que permita desenredar la madeja de la percepción llegando a los rasgos esenciales, cada uno de ellos presentes desde su propia diferencia y dimensión en el tiempo perceptivo. En este sentido Dámaso Alonso hace una lectura de «El vals» donde encuentra «rasgos» que hay que descubrir como en una radiografía de rayos X: «La escena soñada se ilumina como con unos rayos X que descubren los rasgos invisibles y más verdaderos» (Dámaso Alonso, «Aleixandre», 275). Así pues, la combinación de estos rasgos en un todo perceptivo implica recorrerlos desde su poder de involucración gracias a la capacidad receptora del lector. Lorca decía que «un poeta tiene que ser profesor en los cinco sentidos corporales [...] para poder ser dueño de las más bellas imágenes tiene que abrir puertas de comunicación en todos ellos» (Lorca, «Góngora», 70 y 71). Mientras que Max Jacob habla de una inteligencia fisiológica[4] que tiene unas fuerzas de convicción o sentimiento. Esto significa que, si en la poesía antigua había un mapa marcado por la retórica que facilita el recorrido interior de las metáforas, en la nueva, creador y lector deben hacer por su cuenta el trazado del recorrido desde su capacidad o inteligencia de percepción, y siempre levantando tal recorrido desde los puntos y rasgos de involucración que se desprenden del objeto poético; de ahí que la objetividad de una imagen estribe en su red de relaciones y llamadas.

En este sentido, Gerardo Diego aboga por una obra poética que «viva por sí sola y resucite en cada hombre una emoción distinta. No buscar las cosas en nosotros, sino a nosotros en las cosas» (*Imagen,* 69). Por eso, la teoría del conocimiento heideggeriana y el concepto de la deferencia que trato de esbozar puede ayudar a comprender el sentido de esta arqueología de la percepción y de la prospección que se pide en «hermosa como la piedra». En la deferencia viene ya inscrita la marca de intencionalidad con que escritor y lector se acercan al objeto poético. No es posible un conocimiento aséptico, ni hay acercamiento a las cosas si antes no existe un temple que las encuentra y las recibe, y que, en el caso del primer verso de «El vals», es de formación y perfección. Tal intencionalidad no debe interpretarse como algo subjetivo, sino que, como muy bien refiere el texto de Diego, se despliega del mismo objeto poético: «buscar a nosotros en las cosas». Por ello, la distancia entre sujeto y objeto queda anulada desde el momento en que la intencionalidad o deferencia surge como una dimensión que se levanta desde la referencia, concretamente en los puntos o rasgos que han involucrado la comprensión. La comprensión del sujeto se identifica con el objeto mismo porque aquélla es la apertura que coloca los rasgos de tal objeto y los recorre abriendo un *passage* entre ellos que crea un puente de sentido; y precisamente, como ya he señalado, en tal apertura y diseño de colocación estriba toda su realidad. Tal apertura responde a una más primaria: la lengua entendida como apertura o diferencia fundamental del ser humano. En otras palabras, en la mente del lector se encuentra objetivada toda la estructura de sentido del poema; y en la lengua se encuentra la estructura de objetivación entendida como una diferencia que define al ser humano. En este sentido, Aleixandre se refiere a que «mi fe en la poesía es mi fe en la identificación con algo que desborda mis límites aparenciales» (Aleixandre, *Poemas de la consumación,* 7). Y esta identificación, ahora desde el punto de vista del creador, se desenvuelve así porque precisamente la realidad del objeto poético no es sólo aquello que se presenta a ojos vistas, sino también el conjunto de referencias, llamadas o rasgos involucradores desde los cuales es visto y percibido tal objeto. Pero ponderar el momento genesíaco que constituye los poemas no debe hacernos olvidar esa presencia «a ojos vistas» de los objetos. La poesía de Aleixandre parece construirse desde la referencia a objetos externos (un vals) y en cierto modo puede describir referencias ante los ojos. Ahora bien, este referente se construye principalmente a través de las involucraciones y llamadas que forman un mundo de sentido. Todas estas llamadas han sido analizadas en los ejemplos anteriores, de forma que he podido individuar un estado de perfección y formación que crea y modela el objeto en una estructura de perceptiva basada en la prospección de rasgos fundamentales.

Carlos Bousoño emplaza estos que denomino rasgos en el campo de la «semejanza emocional» o «impresión», reconocibles todos ellos «tras un esfuerzo sutil de análisis» (Bousoño, *Aleixandre*, 153). En decir, que en cualquier ecuación imaginativa (para Bousoño imagen visionaria, visión y símbolo) intervienen de forma decisiva y configuradora las afecciones, la irracionalidad y el subjetivismo[5]. Ya en mis términos, prefiero emplazar todos los rasgos dentro del tejido objetivo del signo poético compuesto de referencia y deferencia activadas desde un tempo de comprensión. El signo se genera, entonces, desde una diferencia –la lengua– donde ya de antemano están insertos los rasgos, toda vez que en el evento mismo de la comprensión son desplegados por un tempo o un estado que los recorre y los coloca en una línea de sentido y significación. Lo que para Bousoño es emoción o impresión, para mí, desde Heidegger, es tempo que toca los rasgos y significaciones desde un actitud primaria de comprensión que inclina la línea de sentido en un ángulo de deferencia. Pero tal deferencia parte primariamente no de la subjetividad entendida como algo externo al signo, sino de la objetividad que la comprensión poética despliega desde una diferencia común al ser humano: el lenguaje o la lengua en estado de comprensión.

Hay que ver ahora si esta teoría de la creación y de la lectura permite desvelar más puntos en el análisis que vengo esbozando.

V. Tempo de agitación

Los siguientes versos inauguran un tempo nuevo:

> Esta orquesta que agita
> mis cuidados como una negligencia
> como un elegante biendecir de buen tono
> ignora el vello de los pubis
> ignora la risa que sale del esternón como una gran batuta.
> (4-8.)

El objeto presentado en los tres primeros versos de todo el poema («eres hermosa como la piedra...») es una realidad femenina desde la que se crea una franja de sentido que toca rasgos de formación y de progresión a partir de un estado positivo de perfección que los reúne en un todo perceptivo y cuatridimensional. Ahora, el objeto presentado es la realidad masculina referida al poeta: «esta orquesta que agita mis cuidados». En el sentido de este verso sigue presente el peso de una inclinación hacia las significaciones desde el rasgo de movimiento en progresión con un tempo basado en paralelismos, en este caso los que se desprenden del movimiento acompasado de la «orquesta». Ahora bien, tal movimiento tiene un cambio brusco de sentido, pues mientras en «dichosa como la nave» hay un ir hacia adelante completamente venturoso, en «esta orquesta que agita mis cuidados como una negligencia» el movimiento se genera en dos rasgos interrelacionados: el de «mover algo repetidamente a un lado y a otro» (*Moliner:* agitar) que funciona a la par con el de «impedir algo» (*Moliner:* agitar). En definitiva, del movimiento provocado por dos líneas que se cruzan para abrirse paso y progresar («nave») se pasa a un movimiento de una línea que marcha a modo de vaivén, yendo y viniendo al mismo punto, esto es, de un lado a otro, en total agitación. Y, además, este movimiento, conjuntado con el sentido de 'impedir', lleva ese estado de progresión del principio a un estado de agresividad y agitación que intercepta el suceder de «mis cuidados».

Las consecuencias de esto afectan a cómo el sentido, tal y como lo he definido antes, coloca las significaciones: si bien el estado positivo y de formación de los primeros versos permitía una apertura donde colocar y trazar líneas entre opuestos («difunta/viva»), ahora esta línea se traza desde un estado negativo. La negatividad se manifiesta desde la primera palabra —«esta orquesta»—, donde «ésta», además de significar la inmediatez del momento en contraposición a la atemporalidad de la «piedra», recibe, dentro del contexto de 'impedir', un carácter peyorativo desde un registro familiar. Tal negatividad y tal adversidad están presentes también en el ne- de «*ne*gligencia», que subraya la polaridad con su opuesto «cuidados». Pero, sobre todo, el negativo —que podemos denominar como fotográfico—, junto con la agitación y la violencia del contexto, se genera porque «orquesta» coloca a «mis cuidados» dentro del terreno de su negación y su opuesto, pues se le iguala con «como una negligencia» en el sentido de 'descuido' e 'indiferencia'. Y, además, la palabra esperada podría ser «negligentemente», pero la sustantivación en «negligencia» da mayor énfasis a este pie de igualdad y negatividad en que se sitúan estos dos sustantivos: la fórmula quedaría en cuidados=negligencia («mis cuidados *como* una negligencia»).

Pero además «mis cuidados» tiene otro pie de igualdad dentro de este estado de agitación y agresividad: «esta orquesta que agita / mis cuidados [...] / como un elegante biendecir de buen tono». Ahora «cuidados» y «biendecir de buen tono» quedan reunidos en un estado positivo, pero, mientras la positividad de los primeros versos («piedra/nave») se asentaba en un estado de formación –sea de un orden natural impreso en el tiempo («hermosa»), o sea en la libre contingencia del presente («dichosa»)–, ahora lo que reúne las significaciones y los rasgos es un estado de pura formalidad. La consecuencia es que se anula de «mis cuidados» el apéndice de 'solicitud para hacer bien alguna cosa' (*RAE*), que lo uniría con la actitud de hacer formas –ya en una línea vertical de perfección que hace prospecciones en las diferentes capas del tiempo de «hermosa», ya en la horizontal que rasga el presente («dichosa»)–, para al final transformar la solicitud en sumisión a formas preestablecidas y en la superficie de una circunstancia de buena educación. El pleonasmo y la insistencia en lo positivo de «*bien*decir de *buen* tono», todo dentro de ese estado de agitación, hace que detrás de ese «biendecir» haya un estado de malestar o maldecir que genera la situación irónica de dar a entender lo contrario de lo que se piensa. Por tanto, el estado de negatividad de «esta orquesta» va unido a un estado de formalidad que al final se transforma en ironía.

Estamos ahora en los dos versos finales: «[esta orquesta] ignora el vello de los pubis / ignora la risa que sale del esternón como una gran batuta». Con el verbo «ignora» se envuelven las significaciones en la estructura de negatividad que viene de antes. Pero el cambio se produce porque la secuencia «el vello de los pubis» abre un plano opuesto a la cadena inmediatamente anterior de «mis cuidados como una negligencia» y «elegante biendecir de buen tono», y que consiste en la pura sorpresa de pasar del terreno de lo abstracto, que, por otra parte, ya estaba presente desde el principio en «hermosa» y «dichosa», al terreno de lo concreto. Una concreción de «vello de los pubis» y de «esternón» que hace regresar la atención a anteriores lugares concretos –«piedra» y «nave»–, pero a los que a su vez se opone yendo desde lo inorgánico a lo orgánico. Otra oposición consiste en lo cubierto o encubierto frente a lo descubierto: el «biendecir» y el «buen tono» cubren de pura formalidad las formas, mientras que «vello de los pubis» está a flor de piel. Se genera, además, un paralelismo de carácter geométrico: el diseño dibujado en «vello de los pubis» transporta la atención a la apertura lineal «dichosa como la nave»: el ir hacia adelante de «dichosa» ('suerte de lo que adviene') junto con «nave» ('punta de la nave') traza una geometría donde dos líneas coinciden al abrirse paso en el surcar de la nave en el mar; ahora las dos líneas coincidentes quedan dibujadas en la ingle donde se sitúa el «vello de los pubis» masculinos y femeninos. Esta geometría se despliega desde una deferencia atenta a lo contingente, es decir, de cómo trazar o tocar el instante y el presente desde un estado de placer, en un caso, abstracto («dichosa») y en una geografía espiritual, en el otro, bien concreto y palpable, y dentro de una geografía corporal («pubis»). La consecuencia es un cruce de estados que consiste en sombrear esa belleza ideal y «difunta» en el tiempo del principio a través de su contrario fotográfico, esto es, una representación vívida de las formas del sexo que tal idealidad trata de suprimir como una significación ni «hermosa», ni moralmente apropiada o «dichosa». Pero la ironía final viene de que tal representación viene expresada en términos educadamente correctos («vellos» y «pubis»): la forma que está a flor de piel en la mente del lector se recubre con la formalidad de un lenguaje educado. Así pues, ¿qué ocurriría con la calidad del poema si hubiera utilizado las expresiones populares y no el lenguaje educado? ¿Es la poesía en una dimensión eufemismo = bien decir? ¿«Contar con gracia las desventuras» (*Quijote,* I, 37)?

En resumen, el sentido, franja donde se acumulan rasgos y se inscriben nuevos, ha progresado desde cambios y contrastes bruscos que a su vez lo han hecho regresivo: se tocaba lo orgánico y corporal, lo concreto, lo descubierto y lo contingente-concreto desde un sentido acostumbrado a lo inorgánico, lo abstracto, lo encubierto y lo contingente–abstracto. Antes el sentido era una franja de líneas paralelas donde, desde un estado abierto a la formación, se acumulaban formas parecidas; ahora, desde un estado abierto a la negatividad y al contraste, se crean líneas cruzadas. Lo que era una franja, ahora es un aspa con dos vértices tangentes y opuestos, entre cuyas áreas entran los rasgos en positivo y en negativo ya comentados. En definitiva: un área se define a través de la opuesta pues el sentido progresa con la condición de que regrese a rasgos anteriores.

Ahora bien, tal disposición semántica surge cuando hay una deferencia que ya viene desplegada desde la propia referencia del título «El vals»: movimiento al ritmo de un compás ternario que abre un tempo sensible a los paralelismos, pero también, movimiento giratorio y de traslación del vals con un tempo atento a las oposiciones que hacen girar continuamente la atención desde un polo a otro, o la agita entre dos puntos que se definen desde la reciprocidad.

La lectura se fija ahora en «la risa que sale del esternón como una gran batuta», donde «esternón» despliega rasgos que reviven los ya aparecidos, pero desde un estado diferente, el de la risa. Así, lo plano del hueso del «esternón» conecta con lo plano de la superficie surcada por la «nave», si bien esta superficie se rasga en dos líneas que abre la «nave» y el esternón es duro e impenetrable como la «piedra» del primer verso, aunque ésta –la piedra– es compacta por las formas acumuladas en el tiempo, mientras que aquél –el «esternón»– es hueco porque en él resuena la risa. Lo plano del «esternón» conecta con la superficie del «vello de los pubis» porque ambos están a flor de piel y, además, se inscriben en ese rasgo concreto y corporal que se contraponía a un régimen abstracto anterior. Y también en «la risa que sale del esternón» se despliega de nuevo el rasgo encubierto-descubierto que había en «biendecir de buen tono», con la diferencia ahora de que el tono jocoso de la risa que resuena en el «esternón» está tanto fuera como dentro, mientras que «buen tono» educado queda fuera para encubrir «mis cuidados»; además, el componente de intensidad «del esternón», como el pubis, es salir de las entrañas, de lo más hondo. Lo importante es que estos rasgos, cada uno desde su propia diferencia poética, son encontrados desde un estado que los configura según vayan apareciendo y reapareciendo como resonancia o retazo de la percepción que los recorre en una línea o *passage*. El estado ahora es la risa configurada desde el movimiento de agitación que también existía en «esta orquesta que agita / mis cuidados». Por eso, la resonancia de la risa en la oquedad del «esternón» –obsérvese su valor onomatopéyico– y el correr de la batuta tienen el movimiento de vaivén propio del estado de agitación en que vienen insertos la comprensión y el discurso. Ahora bien, aunque «orquesta» y «batuta» tienen el mismo tempo de agitación, los tonos que producen son totalmente contrarios, pues la orquesta suena con un «buen tono», mientras que, por contra, la batuta la dirige desde un tono jocoso o de «risa».

¿Como se puede resumir lo ocurrido en este primer movimiento estrófico? El «vals» tenía unos rasgos (ritmo ternario, compás, movimiento giratorio y de traslación) que sólo una deferencia es capaz de hacer suyos a la hora de inclinarse a las significaciones que van a venir después. El sentido que las ha recorrido se ha dejado llevar por las leyes del paralelismo (ritmo y compás) y del contraste (movimiento de traslación), formando, bien una franja, bien un aspa, donde se tocan las significaciones. Pero las significaciones sólo se pueden desplegar desde un estado en que son encontradas y que surge del mismo referente. Por eso la deferencia ha ido transformándose a lo largo del verso según el estado que la empuje: primero era un tempo de formación ya desde una hermosura arqueolítica y «difunta» en el tiempo de las formas, ya desde una contingencia del instante «dichoso» y vivo; dicho tempo permitía que el sentido se moviera desde líneas paralelas que abrían una franja donde se acumulaban los paralelismos y limaban los contrastes. Después viene un estado de agitación que, o bien se expresa en la negatividad desde un tempo de formalidades y «buen tono» que todo lo encubre, o bien se configura desde el tempo que permite sacar al descubierto el placer del sexo o el de la risa y la ironía. Por su parte, el sentido se movía, en esta negatividad y agitación, desde líneas que se oponían y se cruzaban como aspas para formar áreas rellenas de contrastes y paralelísmos. Y todo ello porque el referente –«el vals»– pide una deferencia que se mueva en movimientos de traslación que permiten el *passage* o tránsito de un estado a otro. En definitiva, tal movimiento de estados hace honor a la definición de Bousoño de poesía como «fluir de estados de conciencia cambiantes que se desenvuelven en el tiempo» (Bousoño, 25); pero, nuevamente, este fluir es tratado desde la hermenéutica como una dimensión objetiva del lenguaje y del ser.

VI. Tempo de deformación

En los versos anteriores, la referencia y la deferencia estaban sostenidas por un sentido cambiante según el estado de ánimo con que eran presentados los rasgos. Las imágenes del momento estrófico siguiente desarrollan esta percepción cambiante sometida a un tempo que debe captar el continuo suceder de oposiciones.

> Unas olas de afrecho
> un poco de serrín en los ojos
> o si acaso en las sienes
> o acaso adornando las cabelleras
> Unas faldas largas hechas de colas de cocodrilos
> Unas lenguas o unas sonrisas hechas de caparazones de cangrejos. (9-14)

El orden morfosintáctico compuesto de artículos indeterminados, carente de verbos principales y estructurado mediante las conjunciones «acaso... si acaso», denota la idea de suceder de cosas aparentemente inconexas entre sí y surgidas a capricho, como si estuvieran en el movimiento de traslación propio del vals. Queda implícita en este orden caprichoso la idea de aparecer («[aparecen] unas... un... unas... unas... unas») que refuerza la percepción de que al sentido le salen al paso oposiciones de diferente género y en varias direcciones.

El sentido tiene un tiempo mental o tempo necesario para moverse entre las significaciones que surgen. Y este tempo se expresaba, tanto en el título como en los primeros versos, en dos movimientos: un movimiento hacia adelante marcado por un ritmo acompasado, y otro que se agita desde un punto a otro. En principio, el movimiento de las «olas» sintoniza la referencia y la deferencia del lector en un tempo que es mezcla de estos dos tiempos, sea el movimiento acompasado que existía en el «vals», «la nave» y «esta orquesta», sea el movimiento recíproco de un punto a otro que aparecía en lo giratorio del «vals», en «agita» y en «risa que sale del esternón».

En lo que se refiere a los rasgos y oposiciones de estas imágenes es inevitable percibirlos desde un sentido que ya está tocado desde el principio por una estructura de relaciones. La lectura se desenvuelve desde la reciprocidad de rasgos ya aparecidos –retazos de la memoria y de un estado anterior– con rasgos nuevos en un tempo presente que tiene su particular estado que los encuentra y los atraviesa como si se tratara de un *passage*. Por ello, parece que sigue vigente ese estado entre la agitación y la risa. Y por eso, estas nuevas combinaciones surgen como pinceladas a capricho («unas olas, un poco de..., o si acaso...») que vienen de esa «gran batuta» de la «risa que sale del esternón» –verso que es inmediatamente anterior a «olas de afrecho»–. Y por eso, también, las combinaciones no son nada serias: «serrín en los ojos... en las sienes»; que, además, trae como connotación la expresión «cabeza de serrín».

Ahora bien, aquel estado de risa que sigue vigente desemboca ahora en un estado de deformación y deconstrucción que es preciso pormenorizar. Así, en los cuatro primeros versos aparece un rasgo que indica atomización –o descomposición en pequeñas partículas– y desperdicio o lo que se desprende de algo: «afrecho» y «serrín». Pero, dado que la atención está inserta en un sentido que regresa a relaciones anteriores, se observa que este rasgo, circunscrito ahora en un estado de deconstrucción, origina una desnaturalización del material aparecido al principio del poema: la «piedra» y el agua que surca «la nave» se atomizan y desvirtúan en «olas de afrecho o serrín». A su vez, esta progresión desnaturalizadora viene acompañada por una deconstrucción gramatical: la estructura de copulación del «eres» que daba cuerpo y definición a los atributos «hermosa» y «dichosa» pasa a una estructura de enumeración donde no hay verbo vertebrador que haga nítidos las definiciones y el discurso. Lo que quiere decir que de la definición se pasa a la indefinición de límites inseguros, cambiantes, y sobre todo, caprichosos: «un... unos... un poco de... o si acaso... o acaso».

Y así, metidos en este tiempo de deformación y deconstrucción, la imagen de «serrín... adornando la cabellera» deforma el rasgo de belleza atemporal y femenina, creador de una estructura de relaciones basada en la forma y la perfección. Y lo hace por partida doble: ya desde las relaciones que el sentido traía acumuladas en «hermosa como la piedra», ya desde la deconstrucción de las connotaciones de la tradición retórica que adscribe a «cabello» el ideal de belleza. En este último caso, esta deformación provoca el despliegue de resonancias clásicas y tardorrománticas inevitables. Las clásicas se remontan a Garcilaso, montadas desde presupuestos universales platónicos y aristotélicos que colorean previamente, desde una retórica ya preestablecida *(colores rhetorici)*, la definitiva orientación de este rasgo de hermosura: «En tanto que de rosa y azucena / [...] y en tanto que el cabello, que en la vena / del oro se escogió / [...] el viento mueve, esparce y desordena» (Soneto XXIII, 1-8). Las tardorrománticas vienen de su modelo más inmediato, Baudelaire, de cuyo ejemplo se observa que el rasgo de hermosura ya viene coloreado por estados de ánimo y sentimientos del poeta: «Extase! Pour peupler ce soir l'alcôve obscure / Des souvenirs dormant dans cette chevelure / Je la veux agiter dans l'air comme un mouchoir»[6] («La Chevelure», *Les fleurs du mal*, CVII, 133, 3-5). Precisamente, la idea de «difunta» como sujeto arqueolítico y de prospección de formas, presente en Aleixandre, aparece en Baudelaire en la forma de algo continental y forestal, pero aquí desde el tempo del «extase» sentimental que sintetiza los puntos en el todo de la «cabellera»: «La langoureuse Asie et la brûlante Afrique, / Tout un monde lointain, absent, *presque défunt,* / Vit dans *tes profondeurs,* forêt aromatique» (6-8, subrayado mío). En Garcilaso y en Baudelaire domina la idea de agitación pero sometida, para el primer caso, a una hermosura ideal o coloreada previamente por la retórica; para el segundo, inserta en el «extase» de un estado interior que todo lo configura. Por contra, en Aleixandre domina lo jocoso y deconstructivo, con la intención de desvirtuar y desmontar la significación ideal, sentimental o sexual de «cabellera»; y lo hace mediante la interposición del «serrín» como algo postizo y que cubre.

Por otra parte, la idea de cabello transporta la deferencia y el sentido a la estructura anterior de relaciones basada en los órganos del cuerpo que había en «vello de los pubis»; con la diferencia de que «vello» se presenta al descubierto sin tapujos ni adornos, mientras que «cabellera» se cubre con una aureola de «serrín». Reaparece el rasgo basado en la oposición cubierto-encubierto/descubierto inaugurado en un «elegante biendecir de buen tono», aplicado tanto a órganos («pubis» y «esternón») como a estados de ánimo («mis cuidados»), y que ahora se manifiesta interceptando la función y la visión de los órganos y, en consecuencia, de los sentidos, así en «serrín en los ojos... en las sienes... las cabelleras», «faldas largas» –se sobreentiende que cubren precisamente el «pubis»–, «lenguas hechas con caparazones...». La consecuencia es desafinar el sentido de la vista y, a su vez, pulverizar la luz («serrín en los ojos»), deformar la capacidad intelectual y cerebral («o si acaso en las sienes»), desvirtuar el sentido basado en lo sensual («o acaso en las cabelleras»), deconstruir el sentido guiado por lo sexual («cabelleras... adornadas de serrín» y sexo cubierto de «largas faldas hechas de colas de cocodrilos»); deturpar la capacidad lingüística –el lenguaje– en una misma imagen («unas lenguas o unas sonrisas hechas con caparazones de cangrejos»), donde se alteran el sentido gustativo y el estado de alegría («sonrisas»). En consecuencia, queda deformado el sentido –como *sensus* y como estructura de significación– de modo que permanece a expensas de diferentes estados de ánimo que se van mezclando para provocar un tempo de percepción y una deferencia inclinada en el terreno de lo desafinado. Y todo como consecuencia de lo anunciado al principio en «orquesta que agita mis cuidados / como una negligencia / como un elegante biendecir de buen tono» y en «risa que sale del esternón como una gran batuta».

A todo esto se suma el hecho de que, en este punto de lectura, «elegante biendecir de buen tono» no sólo resurge en el sentido de educación, sino en el poético y musical: «tono» como «la modulación de la voz» (*Moliner*) y como «el carácter de una obra literaria según el estado de ánimo» (*RAE*). Me refiero ahora a que el tono de estas imágenes también está desvirtuado por una modulación desafinada (como en *La Valse* de Ravel) basada en la combinación de unos estados de ánimo que desdibujan el carácter de cada rasgo, dentro de un movimiento de vaivén que transfigura el tono del poema, pues va de lo serio a lo jocoso, de una belleza construida en el tiempo a una hermosura deconstruida, de un sentido venturoso y «dichoso» a una desvirtuación de los sentidos y del *sentido*.

Todavía se pueden identificar diferentes dimensiones y nuevos planos en los versos que siguen a continuación:

Unas faldas largas hechas de colas de cocodrilos
Unas lenguas o unas sonrisas hechas de caparazones de cangrejos.
(13 y 14.)

Se superpone a la dimensión antes comentada de cubierto/descubierto –abierta en «vello de los pubis» y que ahora está en «faldas largas» y en «hechas con caparazones de cangrejos»–, el rasgo de dureza, presente en «como la piedra» en un sentido mineral y estético a la vez, y que se reabre ahora en el aspecto animal y violento de «cocodrilos» y «caparazones de cangrejos». El sentido se guiaba también por una inclinación o deferencia atenta a las líneas geométricas en forma de ángulo y pico aparecidas en «como la nave» –en un sentido venturoso– y en «vello de los pubis» –en un sentido sexual–. Reverberan ahora como retazos de un estado anterior estas líneas geométricas en el preciso punto donde el sentido toca «unas largas colas de cocodrilos» y en «unas lenguas», pues surgen formas en pico pero ahora desde un estado de violencia y animalidad que las despliega. De otro lado, la combinación de rasgos como la humedad animal, la saliva, los colores poco definidos –entre grisáceo y verdoso, o blanquecino y carnoso–, todos presentes en «cocodrilo», «lenguas» y «cangrejos», contribuye a desafinar más el sentido. Entramos, entonces, en un tempo de animalización.

Hay que añadir también que el «elegante biendecir de buen tono» hace presente en la lectura de «faldas largas...» y «lenguas hechas...» la dimensión cubierto-oprimido / descubierto, que funciona en este punto como un negativo fotográfico o como *contrafactum* de lo que serían unas faldas elegantes y una sonrisa educada que se mueven al compás del vals. Conviene recordar que esta visión en negativo y positivo aparece mucho en el cubismo representada en las formas o sombras en negro que están detrás de una imagen. Tampoco cabe olvidar que el compás, que se movía desde «una orquesta que agita» para deconstruir el movimiento próspero de «como la nave», se suma ahora a este estado violento en la expresión del ritmo trocaico de «*u*nas *fal*das *lar*gas *he*chas» (óo óo óo óo) y de grupos consonánticos de líquidas, nasales y africadas que refrenan y agitan el esfuerzo de la pronunciación («fa*ld*as la*rg*as he*ch*as... le*ng*uas... ca*ngr*ejos»). Sin dejar de mencionar, además, las aliteraciones y paronomasias que crean un tono estridente para dar la sensación de un entrechocar: «*co*las de *co*co*r*ilos», «*ca*parazones de *ca*ngrejos». Y señalar, por último, un detalle que puede despertar una deferencia atenta al movimiento: la nave va hacia adelante, mientras que el cangrejo va hacia atrás.

En definitiva, se han logrado desvirtuar las premisas y la referencia prometidas en el título de «El vals» como baile de ritmo ternario a la velocidad del compás y con un movimiento giratorio y de traslación, para quedarse en una referencia de la que el sentido extrae un movimiento en agitación que va y vuelve a los mismos puntos para sumirse en un tempo de deconstrucción o deformación con un tono desafinado y un compás sometido a la sorpresa.

VII. Intermedio

El recorrido del sentido va haciendo prospección en las formas para efectuar un trayecto rasgo tras rasgo desde un tempo necesario para tocarlos y conectarlos en la mente y en la comprensión. Este recorrido queda evocado en los versos de Aníbal Núñez que encabezaban la primera parte[7]. En este sentido, el poeta de «El vals» lanza en los versos 15 y 16 la premisa para esta operación: «Todo lo que está suficientemente visto / no puede sorprender a nadie» (15 y 16).

La lección puede quedar en que no importa tanto el referente a ojos vistas cuanto la red de rasgos, interrelaciones y reciprocidades que el sentido va acumulando en los distintos retazos o planos de la memoria perceptiva. El tempo, en este caso, sería la dimensión que permite recorrer y encontrar estos rasgos a pesar de que las significaciones se conecten entre sí por su oposición o por la sorpresa o sin sentido –«salto ecuestre de la imaginación» para Lorca (Góngora, 72)– que provoca en el lector. La función de éste consiste en dejarse llevar por el efecto o *trompe-l'œil* de estas sorpresas que llevan a una dispersión de las formas y de los rasgos, para encontrarse, después de una prospección, en el proceso, en el orden que ha llevado a su creación, o como prefiere Jean Baudrillard: «entrer dans le spectre de dispersion de l'objet, dans la matrice de distribution des formes, c'est la forme même de l'illusion, de la remise en jeu (*illudere)»* (Baudrillard, 43). Hay que entrar, pues, en la matriz de las formas y hacer ejercicio de prospección o arqueología de la percepción que permita desenrollar todo el proceso de comprensión en su recorrido por los rasgos y por los diferentes tempos.

Lo «suficientemente visto» no dice nada porque el proceso de percepción ya viene mascado y explicitado. El arte debe ofrecer, como refiere Baudrillard, «cebos» o lugares de seducción, imágenes que inviten a desenrollar todo el *trompe-l'œil* que lleva las riendas de la «ilusión» –para Baudrillard–, o del proceso perceptivo y de prospección en las formas –añado yo–:

> Tout l'art est d'abord un trompe-l'œil, un trompe–la–vie, comme toute théorie est un trompe-le-sens, que toute la peinture, loin d'être une version expressive, et donc prétendument véridique, du monde, *consiste à dresser des leurres où la réalité supposée du monde soit assez naïve pour se laisser prendre.* [...] Retrouver, à travers l'illusion, une forme de séduction fondamentale[8].
> (Baudrillard, 43-44, subrayado mío.)

VIII. Tempo de representación. Tempo revuelto

Son ahora objeto de estudio los versos 17-20 que ocupan un ámbito estrófico:

> Las damas aguardan su momento sentadas sobre una lágrima
> disimulando la humedad a fuerza de abanico insistente
> Y los caballeros abandonados de sus traseros
> quieren atraer todas las miradas a la fuerza hacia sus bigotes.
> (17-20.)

El poema tiene un primer tiempo de presentación en las dos primeras estrofas, para entrar a partir de ahora en un tiempo de representación donde hay unos personajes («damas» y «caballeros») y una historia que se desarrolla en diferentes momentos hasta el final del poema: «las damas aguardan su momento» (17), «pero el vals ha llegado» (21), «adiós adiós... es el preciso momento de la desnudez» (38-40) y «es el instante el momento de decir la palabra» (42).

La idea de una historia con damas y caballeros podría crear una línea más dramática que lírica pues lo que antes era presentación lírica, ahora es representación de sentimientos. Ahora bien, la representación entra en ese estado de deformación porque en ella lo lírico se expresa y se inclina en el distanciamiento que conlleva la creación de una historia. Y el sentido, que sigue inserto en una deferencia tergiversadora, toca lo sensible indirectamente pues lo representa no desde una evocación de formas sensuales como en «hermosa», sino desde la pura formalidad del «biendecir de buen tono», pero llevada a un grado sensiblero, así en: «sentadas sobre una lágrima» y «abandonados de sus traseros». El deformar lo sensible en lo sensiblero y el trastocar lo lírico en un enmascaramiento dramático provoca que este distanciamiento sea irónico. Y la consecuencia final es que la representación, al tener una conmoción dramática basada en un sentimiento exagerado, sensiblero e irónico, se convierte en comedia.

Hay más rasgos que perfilan lo sensible, pero ahora desde un sentido mucho más complejo y mucho más tergiversado pues en él se han filtrado diferentes estados. Y así, reaparece el plano de los órganos y extremidades desde el rasgo de «biendecir de buen tono» presente en la palabra «traseros», que reenvía a la línea ya perfilada en «los vellos del pubis» con un sentido atento a la corrección y educación lingüística; sólo que «traseros» va un grado más allá y, por estar en un tiempo o inclinación por lo sensiblero, cae en el rasgo de lo cursi. Reaparece el rasgo de lo encubierto presente en el perfil eufemístico de «trasero», o en la idea de simulación de «disimulando su humedad». Pero, de nuevo, lo cubierto se inserta en ese estado violento y de agitación, todo ello expresado en «a fuerza de abanico insistente» para las «damas», donde se da la sensación de entretaparse la cara con la agitación del abanico. Para los caballeros, lo encubierto y la agitación se expresan en «a la fuerza hacia sus bigotes», donde «bigotes» reenvía a «vellos del pubis» en lo sexual, pero con la gran diferencia de que los «vellos» del sexo no poseen la significación de bigote como algo arreglado y reglado por una norma de educación transformada en pura coquetería. Todo ello sólo se despliega otra vez desde una deferencia tergiversadora que reenvía desde este punto a hacer historia de cómo se han venido tocando, partiendo de estados diferentes, los rasgos circunscritos al área de la cara: «abanico» y «bigote» la tapan desde una coquetería forzada, lo cual lleva a recordar «sonrisas hechas de caparazones de cangrejos» donde la sonrisa queda tergiversada por el rasgo de animalidad y a «un poco de serrín en los ojos / o si acaso en las sienes» donde queda tapada de nuevo para llegar a nublar y deturpar el ejercicio de los sentidos y del sentido. Por eso, todos estos rasgos quedan sumidos en ese tiempo de deformación tan diferente al de «hermosa como la piedra», la cual hacía posible descubrir la forma en toda su perfección desde el interior al exterior en una prospección en el tiempo.

Tampoco hay que dejar de lado el rasgo geométrico que la deferencia sacó a la luz desde los distintos referentes. Así, aquello que era picudo, sea en dos líneas venturosas que abren camino —«como la nave»—, sea en dos líneas violentas que convertían la sensualidad y lo redondo de una falda en la animalidad y lo picudo de «colas de cocodrilo», se contrapone ahora a lo redondo y convexo de «*sentadas* sobre una *lágrima*», «abanico», «traseros», pero no para expresar sensualidad, sino sensiblería. Por otra parte, la significación de «humedad» reenvía a «como la nave», «cocodrilos», «lenguas» y «cangrejos», pero ahora dentro del estado sensiblero y lacrimógeno.

Y por último, el tempo de cómo se desarrolla la acción de esta representación se dirime entre lo estático y sendentario y lo agitado de «abanico insistente» y «a fuerza...».

En los versos siguientes el poema entra en un nuevo tempo:

Pero el vals ha llegado
Es una playa sin ondas
es un entrechocar de conchas de tacones de espumas o de dentaduras postizas
Es todo lo revuelto que arriba.
(21-24.)

La definición se hace desde el contrasentido pues a través de «sin ondas» se le niega a «playa» el rasgo de movimiento de las olas. Ahora bien, como hemos visto, la deferencia busca sentido haciendo arqueología de la percepción para encontrar rasgos esenciales y colocarlos en esa estructura de relaciones y reciprocidades que la lectura ha ido creando. Así, «onda» es algo con forma curva, que vibra y se mueve de forma repetida y acompasada, y desde un centro que le sirve de origen. Este sentido de «onda» se puede suspender dentro del tempo o eje de comprensión y de relaciones que ha venido moviendo las significaciones del poema, y que consiste, aplicado a «ondas», en ese movimiento giratorio de traslación con un ritmo reglado por un compás propio de un vals. Ahora bien, esta suspensión se hace en una deferencia negativa y tergiversadora pues a «playa» se le une el contrasentido de «sin ondas», con lo cual a este «vals» se le negaría el significado, ahora suspendido, de movimiento giratorio. Además, «playa sin ondas» hace reverberar la línea de sentido de «olas de afrecho» dentro de ese estado de deturpación de los materiales, o de deconstrucción o aniquilación, pues tanto «afrecho» aplicado a «olas» como «onda» aplicado en negativo a «playa» niegan la significación de agua. El sentido no queda sólo en esa reverberación, ya que «playa sin ondas» hace resurgir el mundo marino de «dichosa como la nave», si bien en el mismo estado de deconstrucción de «olas de afrecho», y con el objetivo de desmontar el movimiento ondular o pendular de la nave y el estado de formación que se anunciaba al principio.

Sigue adelante este tempo de deconstrucción que se manifiesta ahora en «es un entrechocar de conchas, de tacones, de espumas o de dentaduras postizas». La deconstrucción viene de confrontar elementos marinos («conchas», «espumas») con elementos de manufactura («tacones», «dentaduras postizas») para ofrecer a un tiempo el sentido de 'ola' y su contrasentido. Sentido y contrasentido se presentan de manera ajedrezada: primero viene «conchas» que remite al estado venturoso y dichoso de «como la nave», después se entrecruza con «tacones» que reenvía a ese estado reprimido y encubridor del «elegante biendecir de buen tono» donde la cualidad de «hermosa» se deturpa al realzarla artificialmente, resurge el hilo venturoso de «como la nave» en «espumas» que se cruza —más bien se iguala por el «o»— con «dentaduras postizas», que a su vez hace resurgir el sentido encubridor o postizo. Al quedar todos ajedrezados, se forma una relación de reciprocidad que deturpa la significación individual de cada término. El caso de «espumas» es más claro todavía pues el «o» iguala en un todo a «espumas o de dentaduras postizas» en una estructura de reciprocidad donde se combinan la mar salada y la saliva en el rasgo de lo líquido pero con un resultado de desvirtuamiento; este mismo rasgo líquido apareció en «unas lenguas hechas con caparazones de cangrejos», pero desde un sentido afectado por la animalidad. Y en este trenzado también participa lo geométrico: curvo para «conchas» y para la forma de las «dentaduras», picudo para «tacones» y para los dientes de «las dentaduras».

Pero, sobre todo, el ajedrezado de sentido y contrasentido se manifiesta en la idea de «entrechocar» queriendo negar y afirmar a la vez el significado de ola, ya que se mezclan materiales propios de ésta (conchas y espumas) con materiales manufacturados que nada tienen que ver con una ola y que quieren significar lo postizo. Y este ajedrezado y la idea de «entrechocar» lleva ahora a leer «playa sin ondas» no en el sentido de 'sin el movimiento de las olas o del vals', sino como 'sin el sonido acompasado' de las ondas, de las olas y del vals. La música de este vals «es un entrechocar» no sólo a través de un trastocamiento fonético («cho/ca-co/cha» de «entre*cho*car de *co*n*cha*s») sino sobre todo del sentido que origina un tempo de comprensión desacompasado pues a cada paso tiene que superar oposiciones del ajedrezado. Hay que recordar, además, que la estética musical de la época de *Espadas como labios* coincide con esta técnica del desafinamiento y desacompasamiento del sentido poético, pues la música se crea desde un nuevo contrapunto basado en lo desafinado y el ruido[9].

Y ahora viene el verso final que parece cerrar el ámbito imaginativo de «playa sin ondas»: «es todo lo revuelto que arriba». La lección que se desprende de este verso es que se ha trazado una línea de sentido que siempre va hacia adelante («que arriba»), pero a través de oposiciones y naturalezas diferentes («lo revuelto»). O sea: al tiempo que se vierte el sentido en la determinada dirección marcada por un estado de ánimo que encuentra las significaciones, éste se subvierte, pues se mueve a modo de círculos («re-vuelto») o anillos que semánticamente se oponen entre sí. Por lo que necesariamente el verso «es todo lo revuelto que arriba» lleva a regresar al sentido en el principio de donde partió: «eres dichosa como la nave». Y lleva, además, a rehacer todo el proceso de construcción de sentido que se ha venido realizando hasta ahora, sobre todo para preguntarse qué funciones y qué definición aportan «revuelto» y «entrechocar» en la imagen de «El vals».

Creo que en el primer momento estrófico están diseñados los ejes principales de todo este proceso de construcción y deconstrucción. Entiendo por ejes principales esos estados o tempos que surgen del referente y llegan al deferente para encontrar las significaciones desde una determinada dirección o sentido. La combinación de estos tempos que han ido apareciendo en sucesión se mueve en el sentido circular de «revuelto» para originar una espiral de sentido. Para explicar esta combinación y esta espiral voy a seguir una explicación puramente geométrica siguiendo esta definición de espiral que hace Paul Klee, y a la que volveremos varias veces en este trabajo:

> Les variations progressives du rayon combinées avec le mouvement périphérique que transforment le cercle en spirale. De l'accroissement du rayon résulte la spirale de vie. Le raccourcissement du rayon amenuise de plus en plus la révolution, et le beau spectacle rétrograde jusqu'au point où il s'anéantit. Le mouvement n'est plus infini, si bien que la question du sens reprend son importance. Celui-ci décide ou bien d'une évasion centrifuge vers une liberté croissante de mouvement, ou bien d'une soumission croissante à un centre qui finit par tout engloutir.
> C'est là une question de vie ou de mort, et la décision dépend de la petite flèche[10].
> (Klee, 127.)

Los estados y tempos que hacían mover las significaciones son los ejes o radios (en el ejemplo geométrico de Klee) constituyentes de esta espiral de sentido que se manifiesta en la primera estrofa, y que son: un estado de formación atento a lo perfecto de las líneas sea en un movimiento de prospección en el tiempo («hermosa como la piedra»), sea en otro de proyección y progresión en la simultaneidad («dichosa como la nave»); un estado de agitación que intercepta toda proyección en un movimiento de acá para allá («esta orquesta que agita...»); otro de deconstrucción que desmonta una línea de preocupación en su vertiente del contenido («mis cuidados») para rebajarla y desleírla en su estado contrario («negligencia»), o deslavazarla, en su vertiente de lenguaje, en la pura superficialidad del código y de las normas («elegante biendecir de buen tono»); otro estado de sexualidad totalmente al descubierto («vello de los pubis»); y, por último, un estado de risa («risa que sale del esternón») que resuelve todo lo anterior en una pura broma y lo dirige «como una gran batuta» o disuelve cualquier significación posterior en un estado cómico que termina siendo ironía. El resultado de la combinación de estos ejes convierte al sentido en una espiral al modo como la explica Paul Klee: «les variations progressives du rayon combinées avec le mouvement périphérique transforment le cercle en spirale».

Cada radio o cada tempo se mueve en agitación y a modo de traslación (como el vals) para originar una espiral. Se trata de hacer circular un sentido, que por esencia va hacia adelante, pero no desde un orden unidimensional que pudiera con un solo estado tocar las significaciones y trazar su propio círculo, sino desde la combinación de varios radios o ejes que, en su particular tempo de percepción, tocan independientemente y de forma combinada las significaciones para dar lugar a una espiral mucho más compleja.

El resultado queda en que estos ejes, radios o estados previamente trazados (formación, deformación, formalidad, sexo, risa, etc.) y los que surgen en las estrofas siguientes hacen una espiral y, todos ellos, construyen un sentido que va tocando cada rasgo. Y el hecho de tocar cada rasgo significa no sólo desplegarlo desde un estado que, en ese preciso instante de la espiral en que aparece, lo mueve y le da su propio tempo de comprensión, sino también replegarlo hacia otros puntos de la espiral a los que regresa desde una relación de paralelismo o de reciprocidad. Por ello, es espiral porque se convierte en una estructura de relaciones, reciprocidades y llamadas que lleva a combinar ese y otros rasgos con otros rasgos anteriores, situados cada uno en su propio tempo o retazo de comprensión o en su particular tiempo de despliegue según el estado en que vienen configurados. Pero al final ya se verá que esta estructura, resumida en «es todo lo revuelto que arriba», tiene un sentido u orientación, que Paul Klee trata de resumir en dos opuestos: o centrípeto y que anula el movimiento, o centrífugo que le da una libertad en su infinitud; definición que está en consonancia con la de sentido como orientación que he venido manejando: «el modo de apreciar una dirección desde un determinado punto a otro» (*RAE*).

Lo que queda claro es que la combinación de tantos ejes distintos se ha convertido en mezcla; y esto se debe a que el sentido hacia donde van las significaciones se mueve desde un estado general de deturpación o desvirtuamiento. Por otro lado, las significaciones y los rasgos se relacionan desde el «entrechocar» mutuamente, es decir, se tocan, no sólo desde su positividad o sentido, sino desde su negatividad y contrasentido. La norma de relación es, entonces, «todo lo revuelto que arriba», esto es, el contagio y la turbiedad que lleva a desnaturalizar y adulterar cada rasgo y, en consecuencia, cada estado del que proviene: lo hermoso y *formoso* en la elegancia superficial, el adorno y lo postizo; lo dichoso y lo sensible pasa a ser coquetería y sensiblería, lo lírico es comedia, lo sexual es un puro código de buenas palabras y «buen tono».

Por otra parte, el verso «Pero el vals ha llegado» lleva a hacerse la pregunta sobre cuál es «El vals» que está viviendo el lector y qué tiene que ver con la definición léxica de la que se partió al principio de este estudio. La objetividad de «El vals», su referencia, queda «suspendida» (Ricoeur) por las dimensiones que crea la obra misma, y queda diferida a un ángulo de comprensión e inclinación que marca la deferencia. La objetividad de una obra de arte, según Heidegger, consiste en que ella por sí sola funda y despliega una apertura (*Aufstellung*) a la que se remiten y en la que son colocadas las significaciones. La obra tiene un valor fundante, su razón de ser, su ontología, basada en el hecho de crear esta apertura como una red de interrelaciones y llamadas; ella funda por sí misma este mundo de sentido (*Welt*) con sus propias leyes a las que cada elemento se remite. Quiere decir que, en este poema de Aleixandre, no se pretende únicamente tener por objeto un vals, sino tener o comprender el objeto de «El vals» como la creación, ahora en términos heideggerianos, de una apertura desde la que todos los elementos se iluminan y desde la que se relacionan las significaciones (Heidegger, *Holzwege* 49). Y esta apertura es, precisamente, la espiral de sentido, que he tratado de reconstruir, con sus ejes principales de estados y contraestados que se van mezclando y que van perfilando cada rasgo dentro del particular tempo revuelto de comprensión en que aparecen y en la determinada dirección (¿centrípeta o centrífuga?) marcada por ese estado general que deforma y adultera las significaciones para convertirlas en «todo lo revuelto que arriba»; vale decir: trastocar el ritmo ternario propio de un vals en un movimiento de agitación y vaivén, transformar el movimiento giratorio y de traslación de un círculo finito en una espiral cambiante de sentido y contrasentido, desacompasar la atención o deferencia de modo que trace el sentido hallando los paralelísmos pero en un ajedrezado de contrastes y contrasentidos.

IX. Del tiempo de la languidez al de malestar

En el momento estrófico siguiente cabe preguntarse sobre el estado en que se encuentran y son encontradas las significaciones y en qué modo tiene que ver con otros estados y otros sentidos que han venido apareciendo:

> Pechos exuberantes en bandeja en los brazos
> dulces tartas caídas sobre los hombros llorosos
> una languidez que revierte
> un beso sorprendido en el instante en que se hacía «cabello de ángel»
> un dulce sí de cristal pintado de verde.
> (25-29.)

En cada baile hay una parte del cuerpo donde se expresa la sexualidad, si bien dentro de las distancias –morales y físicas– que marca cada educación. El ámbito sexual que aparece en estos versos está en el ángulo visual desplegado por los brazos abiertos de la pareja que baila unida por las manos agarradas para marcar el compás del baile; en cuyo ángulo se ven cara, hombros, brazos y pecho. Cada órgano o extremidad viene de nuevo expresado desde planos que trastocan o desvirtúan su identidad. Así, en «pechos exuberantes en bandeja en los brazos», se da una imagen de los pechos enmarcados por la buena educación y el «elegante biendecir de buen tono» de una «bandeja». Por eso, la sexualidad «exuberante» de los pechos se matiza y se objetiviza –en la misma imagen se encorseta– por algo foráneo que los rodea: «en bandeja». La «bandeja» que encorseta los «pechos» da a éstos significaciones que ya vienen de lejos: cubierto-encubierto/descubierto y buen tono. El rasgo del adorno, no para embellecer, sí para desvirtuar, y sobre todo para ridiculizar, presente ya desde «un poco de serrín... en las sienes», aparece de nuevo en «dulces tartas caídas sobre los hombros llorosos». Este verso reenvía a ese estado –también desvirtuado– sensiblero y lacrimógeno de «sentadas sobre una lágrima»; y también remite al rasgo de cubierto-encubierto/descubierto en el caso de que el merengue de las «dulces tartas» se pudiera relacionar con el color de los tules y tiras bordadas del vestido.

El verso «un beso sorprendido en el instante en que se hacía "cabello de ángel"» ofrece un recorrido desde «beso» a «cabello de ángel» que pretende desarrollar –y alargar– el instante en la materialidad del verso para que el lector vaya de lo serio de «beso» hasta caer en la sorpresa final de lo jocoso de «cabello de ángel», que desvirtúa y desencaja las significaciones de beso desde rasgos ya en la mente del lector: lo cursi de «damas [...] sentadas en una lágrima» y «caballeros abandonados de sus traseros», lo que está fuera del «buen tono» poético (p. ej.: «de conchas (+), de tacones (–), de espumas (+) o de dentaduras postizas (–)», lo que desvirtúa belleza de «serrín [...] adornando las cabelleras». En este último caso la lectura de «cabellos de ángel» no puede dejar de lado la referencia de «serrín [...] adornando las cabelleras», ambos deconstruyendo la hermosura de «eres hermosa como la piedra» y deconstruyendo, sobre todo, toda la tradición mitificadora –renacentista y romántica– que envuelve a cabellos. Se repiten en «un dulce sí de cristal pintado de verde» los rasgos aparecidos desde siempre de 'adorno para desvirtuar' y 'cubierto/descubierto', o los que se relacionan con «pechos en bandeja» en el sentido de 'objetivización' y 'enmarcación'. Aquí «cristal pintado de verde» se opone al inicial «eres hermosa como la piedra» donde había que hacer una arqueología de las formas cristalizadas por el tiempo en un material duro y natural, mientras que ahora el cristal es un material artificial y frágil al que se le superpone una forma («*pintado* de verde») que desvirtúa su transparencia. Y tratándose de un «sí de cristal pintado de verde», la transparencia del «sí» del deseo sexual se trastoca por unas reglas que se superponen («pintado de verde») y que podrían ser las de la educación y el «buen tono.»

Un rasgo que enlaza todas estas imágenes es lo «dulce» para expresar el estado de ánimo que las recorre y que quedaría resumido en «una languidez que revierte». El verbo «revierte» envía a «revuelto que arriba» y a «esta orquesta que agita», todos para expresar el compás trastocado por una repetición que desvirtúa las significaciones. Pero, mientras «revuelto» provocaba un estado turbio donde por el contacto de elementos dispares se deconstruían las naturalezas (revuelto: 'turbio por haberse levantado el sedimento del fondo', *RAE)*, por contra, en «revertir» se indica volver una cosa al estado que tuvo antes, cual es ahora el de la languidez. Además, todo lo vaciado o deslavazado de contenido sexual por acción de lo «dulce» –significando las reglas de juego educadas y amables o el «buen tono»– presente en «pechos... en bandeja», «tartas caídas sobre los hombros», «un beso... que se hacía cabello de ángel», todo ello, «revierte» ahora a un estado que indica 'falta de estado' o «languidez». Por tanto, la deconstrucción viene de que, si antes el lector estaba sumido en un estado de ánimo «revuelto» y de turbulencia, ahora se queda en un estado de falta de energía cuya propia energía y compás es la mera repetición de ese estado. Pero al lado de un contexto donde prevalece el rasgo de lo dulce, se puede leer tal repetición y languidez como un estado de «empalago» de la buena educación, entendida ésta como la amabilidad que marca la distancia física y moral de los que bailan. En conclusión, el tempo de formalidades que ya venía desde los primeros versos se desvirtúa en estos versos en tempo de empalago y repetición, y todo ello dentro del contexto de este vals cuyo radio principal es el desafinamiento.

En la parte siguiente se repiten procesos poéticos, rasgos y estados que han aparecido anteriormente, y siempre bajo la égida, también, de un estado general que hace encontrar las significaciones en un determinado sentido:

> Un polvillo de azúcar sobre las frentes
> da una blancura cándida a las palabras limadas
> y las manos se acortan más redondeadas que nunca
> mientras fruncen los vestidos hechos de esparto querido.
> (30-33.)

Extremidades y órganos quedan otra vez tratados y retratados desde un elemento que los trastrueca en su significación. En «un polvillo de azúcar sobre las frentes» se quiere expresar un estado de conciencia («las frentes») alterado por los rasgos de «polvillo de azúcar» que coinciden con los acumulados a lo largo del poema y en la memoria del sentido. Así el antecedente más intenso es «un poco de serrín... en los ojos... en las sienes», que lleva a leer «azúcar» sobre «las frentes» y «serrín» sobre «ojos» y «sienes» de dos maneras relacionadas entre sí: desde el estado cómico que viene de «risa del esternón» y desde el tempo desnaturalizador que llena todo el poema y que, en los dos casos comentados, deturpa la actividad seria y responsable de pensar; los sufijos diminutivos de «polv*illo*» y «serr*ín*» refuerzan ese estado cómico y desvirtuador.

Pero hay más rasgos que contribuyen a esta deconstrucción del pensamiento de «las frentes» o de «la sienes»: aparece de nuevo el rasgo «en-/des-

/cubierto» que remite al «elegante biendecir de buen tono», vale decir, la educación que se superpone («serrín en las sienes», «polvillo de azúcar») a la actividad libre del pensamiento. A su vez, el rasgo 'dulzura' de «polvillo de azúcar» lo acerca al sentido que venía desde «tartas caídas» y «cabello de ángel» y lo inscribe en el estado mental de empalago de un «biendecir» que, por repetirse continuamente, desnaturaliza y deslavaza el discurso, esto es, el «decir» en una «languidez que revierte».

Estos últimos rasgos conectan con «un polvillo de azúcar sobre las frentes / da una blancura cándida a las palabras limadas», donde «blancura cándida», arropada en el contexto, pierde ese carácter positivo de inocencia, para relacionarse al final, a través del color blanco, con el rasgo de ridiculez y empalago de «azúcar» y del merengue de «las tartas», y ya desde más lejos, con el rasgo de sexualidad comedida o de comedia y «buen tono»; ambos rasgos, ridiculez y buen tono, descomponen cualquier connotación de virginidad que pueda desprenderse de «blancura» y «cándida», incluso «cabello de ángel».

Y si leemos estos dos versos desde un sentido descriptivo, no es difícil identificar «polvillo» y «blancura cándida» con el maquillaje o los polvos de belleza. Pero tal descripción debe leerse dentro de las coordenadas que el propio texto ha creado y que ahora van por el camino abierto desde un tempo de formación hasta el de la deformación y desnaturalización. Quiere decir que la supuesta belleza intemporal y prospectiva de «hermosa como la piedra» se maquilla ahora en la superficialidad. Y la posible «blancura» o la transparencia de las «palabras» quedan ahora embotadas por una palabra («palabras limadas») que no tiene un perfil en el tiempo, sino aquel que resta y va limando la contingencia de la educación o el «buen tono», convertido este último en el empalago y la pura superficialidad de «polvillo de azúcar».

Por otra parte, el embotamiento lingüístico de «palabras limadas» y el perceptivo de «polvillo de azúcar sobre las frentes» vienen acompañados por la decostrucción de lo sensitivo: «y las manos se acortan más redondeadas que nunca». En definitiva, tanto «se acortan» y «redondeadas» como «limadas» expresan la deconstrucción desde un sentido que resta dibujos y perfiles a las formas naturales. Por eso, predomina de nuevo la geometría de la curva y de lo obtuso para expresar rasgos que, por lo analizado arriba, indican resta o descomposición de identidad; este fenómeno de resta viene ya arrastrado desde lejos por el sentido: en «olas de afrecho», «disimulando... a fuerza de abanico», «playa sin ondas», «conchas», «dentaduras», «pechos... en bandeja», «palabras limadas». Además, en algunas de estas imágenes aparece el rasgo de atomización para referirse propiamente al volumen molido y convertido en un resto («afrecho», «serrín», «polvillo»). Curva y átomo, resta y resto se contraponen a la forma picuda y el volumen definido para indicar formas que crean una identidad positiva («hermosa como la piedra», «dichosa como la nave»), o una identidad violenta («vello de los pubis», «risa... como una gran batuta»), o bien, formas que son añadidos o violentos y/o artificiales («faldas

162

hechas de colas de cocodrilos», «lenguas... o caparazones de cangrejos», «a la fuerza hacia los bigotes», «tacones», «dentaduras»).

El último verso se analiza en la trama del que le precede –«y las manos se acortan más redondeadas que nunca / mientras fruncen los vestidos hechos de esparto querido»– porque de esta manera se tiene noción del sentido del tacto que, en un contexto así, queda trastocado y depreciado («se acortan»), siempre al compás de una geometría («redondeadas») trazada por el deseo sexual reprimido y por la buena educación que hace roma cualquier punta/o de ataque. Cabe interpretar «las manos» que «se acortan [...] mientras fruncen los vestidos» en el sentido de 'las manos se hacen más pequeñas al tiempo que se acercan al vestido y lo «fruncen»'; lectura que se realiza siempre que el sujeto de este verbo sea «las manos». La consecuencia es nuevamente el menoscabo y el daño del sentido, ahora el del tacto de las «manos», que, además, se expresa en la geometría de la curva, vale decir, de la resta. Pero todos estos rasgos vienen secundados por otros, al circunscribir la atención a «mientras fruncen los vestidos hechos de esparto querido». Los vestidos por ser algo que cubre el cuerpo –especialmente el «vello de los pubis»– remiten al rasgo en-/re-/cubierto que está diseminado por todo el texto, sólo que aquí se expresa desde el estado de malestar que connotan el tejido tosco y la textura áspera y grosera del «esparto», y también desde un estado violento que viene de «fruncen». Violencia y aspereza ya venían del sentido de «faldas largas hechas de colas de cocodrilos / unas lenguas o sonrisas hechas de caparazones de cangrejos» desde el rasgo de lo duro y rugoso, y desde el de la animalidad. Por otra parte, el estado de deformación y desvirtuamiento tiene su sentido a través de los colores entremezclados o híbridos y deslucidos del marrón verd*oso* de los «cocodrilos», del rojo pálido de las «lenguas», del marrón roj*izo* de los «cangrejos», y del amarillo pard*uzco* del esparto.

Pero no quisiera desechar otros rasgos que se despliegan de «fruncen los vestidos» y que podrían ser regresivos en el caso de que conecten con estados anteriores que los configuran y encuentran. Me refiero en primer lugar al ruido que produce el movimiento del fruncir y de las telas: el frufrú que vendría del «ruido que produce el roce de la seda» *(RAE)* de los tules del vestido queda desvirtuado porque aquí sería el particular ruido del roce del esparto; a la expresión de este ruido contribuye la onomatopeya de «*frun-œn*». Pero este ruido se inserta en otros de carácter leve, también muy particulares y difíciles de definir que han venido apareciendo antes: el de «unas olas de a*frecho*» –con sonidos onomatopéyicos–, el del «serrín», el aire del «abanico insistente» y del «polvillo de azúcar». Todos estos sonidos contribuyen a crear un silencio rumoroso que viene también trastocado y desafinado.

Por último, «fruncen los vestidos» puede dar la clave del estado en que las significaciones son encontradas en este verso. El referente positivo de «vestidos» es que son lisos y de color claro, pero ya se ha comprobado que una deferencia atenta al tacto, al color, a la forma o geometría, al gusto y al sonido, ha permitido crear un ángulo de inclinación donde estos rasgos son colocados desde la deformación y el desvirtuamiento, esto es, desde aquello que «frunce» las naturalezas o las desnaturaliza: lo suave es áspero, lo claro es parduzco, lo definido es recortado, lo dulce –cariñoso– es empalagoso, lo silencioso tiene sonidos raros, etc. Pero «fruncen» se presta a más interpretaciones semánticas y sintácticas, pues no sólo se quiere decir que el paño del vestido se arrugue al ser tocado por las manos, sino que también «fruncen los vestidos» equivale a fruncir el aspecto y la expresión exterior para expresar un estado interior de desabrimiento y malestar; en definitiva, «fruncen los vestidos» connota 'fruncir el ceño'. En este sentido, vuelve a surgir el rasgo de en-/des-/cubierto. Y este último significado se inserta plenamente en la interpretación sintáctica de «mientras fruncen los vestidos» con «vestidos» como sujeto de «fruncen» ya que el texto admite, y en mi opinión, fomenta la ambivalencia de «[sujeto] las manos... se acortan... y... fruncen los vestidos», y «fruncen [sujeto] los vestidos», como personificación. Así pues, en este verso, el estado en que se encuentran las significaciones es de malestar y desabrimiento expresado en «fruncen», pero también en «esparto». También se puede leer «fruncen» como el aprieto sexual del cuerpo de la mujer.

Ahora bien, con la expresión «esparto querido» se inserta este desabrimiento o malestar dentro del contexto de «risa que sale del esternón», pues el verso empieza en serio desde un estado de malestar que se dervirtúa al final por la broma de «querido», adjetivo que a su vez descoloca y trastoca desde la ironía esa referencia al estado de amabilidad y «buen tono» que también termina siendo ahora 'empalago'. Por ello, en la misma combinación «esparto querido» el lector tiene que establecer un *passage* de opuestos desde «esparto» a «querido» con el objetivo de reunirlos en un contexto de desafinamiento y estado híbrido entre el malestar y el empalago o sensiblería. El poeta, además, es proclive a sorprender al final de un discurso con un vocablo que deconstruye y desafina la tónica general de un verso o de una estrofa.

X. Tempo de transustanciación

La lectura que voy a hacer de la siguiente estrofa intentará reunir en un poliedro todos los rasgos principales que aparecen. El texto sigue, por tanto, esa técnica cuatridimensional del cubismo que reúne en un todo poliédrico distintos y dispares planos de la realidad, cada uno de ellos retazos de un tempo interior de percepción. El objetivo es reconstruir ese tiempo de recorrido por los distintos planos o «cuarta dimensión» del discurso, que se genera desde el particular estado en que son recibidas y colocadas las significaciones. Trátase, en definitiva, de buscar sentido, vale decir, trazar una línea de percepción y comprensión desde una deferencia atenta a los rasgos del referente que se van juntado en la estructura de interrelaciones, reciprocidades y llamadas que es el texto literario.

Las cabezas son nubes la música es una larga goma
las colas de plomo casi vuelan, y el estrépito
se ha convertido en los corazones en oleadas de sangre
en un licor si blanco que sabe a memoria o a cita.
(34-38.)

¿Van de la mano la estructura sintáctica y el tiempo de recorrido por las significaciones? Sintácticamente, se forma una perspectiva en la que quedan enlazadas en cadena y en la línea de sucesión del verso cuatro estructuras sintácticas primarias –del tipo «sujeto + verbo + atributo / complemento», o «sujeto + verbo intransitivo»– con estructuras secundarias y terciarias respectivamente. Esto es, de la cuarta y última primaria –«se ha convertido en...»–, y siempre siguiendo la vicisitud del verso, se forman tres eslabones de carácter secundario que son complementos circunstanciales de la última oración («en los corazones en oleadas de sangre /en un licor»). Y a su vez, del último eslabón o complemento circunstancial de esta última oración sale una estructura sintáctica que llamaré terciaria y que es una proposición de relativo («en un licor+que sabe...»). Así pues: existe una línea de perspectiva en el espacio y en el tiempo de cuatro planos primarios, tres secundarios y uno terciario; todos ellos van diseñando las aristas sintácticas del octaedro que pongo por hipótesis. Pero no hay que olvidar que el sentido circula hacia adelante y funciona a modo de espiral de significación según un tiempo interior que coloca por su cuenta los elementos. Por ello, lo que puede parecer terciario, mirado ahora en la perspectiva del sentido, se convierte en primario: ¿podría suceder que el último eslabón –«a memoria o a cita»– sea el punto final al que huye toda la atención y deferencia, y a partir del cual se colocan las significaciones? O simplemente, lo que está perfectamente trabado sintácticamente viene acompañado por una estructura de relaciones semánticas basada en la oposición y en el contrasentido, en la que es difícil unir unos elementos con otros. Cada frase y cada imagen se compone de elementos opuestos («cabezas son nubes», «música=larga goma», «colas = de plomo», etc.). Y a su vez cada frase se opone a las otras frases o aristas del octoedro. Se diría que funciona el principio de conexión de opuestos en la fórmula: ± = cátodo (–) más ánodo (+). ¿No parece posible, entonces, corroborar dos tiempos paralelos, uno de colocación sintáctica, y otro de colocación y conexión en los ejes de un tiempo interior de la comprensión y de la deferencia que va siempre sujeta al cordón umbilical de la referencia, tomada ésta última como una estructura de interrelaciones y llamadas, y tomada aquélla desde la dimensión del *de-* que difiere e inclina tal estructura en un ángulo de atención?

En «las cabezas son nubes» se combinan extremos que van de la actividad mental y física rectora y de una forma redonda, para «las cabezas», hasta una masa de vapor suspendida en la atmósfera y que tiene movimiento en lo que se refiere a «nubes». El resultado de tal unión queda en una evolución que va desde 'masa de vapor suspendida en la mente con sensación de movimiento giratorio', hasta vértigo o 'trastorno del sentido del equilibrio debido a una sensación de movimiento giratorio del cuerpo y de los objetos'. Se trastoca de nuevo la sensación mental de movimiento del "vals" y, sobre todo, se pervierte el sentido de los sentidos gobernado por la mente. Esta alteración ya estaba conseguida con «olas de afrecho, / un poco de serrín en los ojos / o si acaso en la sienes» y «un polvillo de azúcar en las frentes»; éstas, junto con «nubes», recuperan el rasgo de 'atomización' de los órganos de la cabeza para deconstruirlos.

En cuanto a «la música es una larga goma» se conecta «música» como sucesión de sonidos modulados que se mueve por ondas en el aire con «larga goma» en tanto que sustancia elástica, moldeable pero fuertemente adherida. Esta combinación de opuestos crea una relación de reciprocidad en la que «larga goma» trastoca el sentido de «música», así: lo que es sucesión o modulación de sonidos se convierte ahora en retención y contención, lo que es modulado y se mueve con ligereza por el aire pasa a ser dirigido y ralentizado por el movimiento lento («larga») y hacia un solo sentido que tiene la elasticidad de la «goma», y, por último, lo que es intelectual se convierte en materia viscosa.

Por lo que toca a «las colas de plomo casi vuelan», es casi una imagen cristalizada –del tipo «perlas» refiriéndose a 'dientes'– venida del antecedente «faldas largas hechas de colas de cocodrilo». Del antecedente queda ahora en el consecuente ese estado de cubrir la sexualidad, pero se pierde ese estado de violencia del principio. Así, «colas» representando a faldas tiene significados tales como: ligero, colgado, con un movimiento modulado desde la cintura o vuelo, que se mueve en el aire, material fino, con ondulaciones. Pero todos ellos son trastocados por «plomo» que ralentiza el movimiento («casi vuelan»), hace de lo modulado y con ondulaciones algo maleable y fusible, convierte lo ligero en muy pesado. El resultado de estos dos versos comentados consiste en alterar, por un lado, la sexualidad expresada en el desfigurar el movimiento de la falda y de la música unidos, y por otro, la capacidad rectora de la cabeza y del sentido.

En «y el estrépito / se ha convertido en los corazones en oleadas de sangre / en un licor si blanco que sabe a memoria y a cita», «estrépito» significa un ruido grande que se expande por juntarse varios sonidos a la vez, queriendo denotar, bien la música del vals cuando suenan todos los instrumentos de la orquesta, bien ese estado de violencia y agitación que ha venido recorriendo el poema. Ahora bien, conviene no olvidar que está vigente la combinación de opuestos (ánodo y cátodo) para construir ahora un poliedro de significación («los corazones / oleadas de sangre / licor si blanco / a memoria o a cita»), donde el hilo conductor es la deconstrucción de «estrépito», diluyendo e igualando («se convierte en») su significado en diferentes rasgos, así: la gran onda expansiva del estruendo pasa a las pequeñas y cerradas dimensiones del corazón que, con su compás de agitación, dirige la música del vals. Con «oleadas de sangre» se continúa la disolución de «estrépito» pues, aunque en «oleadas» sigue presente la significación de ondas expansivas, sin embargo, el sonido del movimiento de la sangre deja casi en silencio el ruido del «estrépito.» Y lo que era una onda compuesta de aire, ahora tal composición se vuelve mucho más compleja: lo que suena, lo líquido (plasma), lo sólido (glóbulos rojos, blancos), lo gaseoso (oxígeno) y lo rojo. Ahora bien, esta comprensión se somete a un nuevo vaivén que desvirtúa la composición anterior: en «licor si blanco» la sangre se trastoca en líquido o «licor» y en algo blanco. Se incorpora a «oleadas de sangre» el sentido gustativo de «licor» que diluye y desvirtúa las sustancias de la sangre en el alcohol, agua, azúcar, esencias aromáticas del licor. Pero, a su vez, se desvirtúa este sentido gustativo para entrar en uno meramente intelectual: «memoria o a cita». En definitiva, estos versos desarrollan un proceso de desvirtuamiento y transustanciación que va desde «estrépito» hasta diluirse en «memoria o a cita». También se puede referir a pasión («estrépito», «sangre»), refrenada por el «buen tono» («blanco») o las timideces convencionales, que se contentan con la memoria y la cita.

No hay que dejar de lado que el sentido de esta parte se involucra con las significaciones venidas de esa estructura o gran poliedro de interrelaciones y reciprocidades que es la totalidad del texto. Y así, «la música es una *larga* goma / las *colas* de plomo casi vuelan», queriendo expresar un movimiento y una tonalidad de la música trastocados por la pesantez («plomo») a*larga*da como una goma elástica, conecta ahora con la geometría y el peso de «faldas *largas* hechas de *colas* de cocodrilo», queriendo expresar la fuerza de gravedad de una educación de «biendecir de buen tono» que tapa todo lo *largo* que puede la sexualidad. Sobre «en los corazones en oleadas de sangre», hay que decir que el lector tiene presente en su sentido los versos «olas de afrecho / un poco de serrín... en las sienes», desde el rasgo ya comentado de atomización, vale decir, deconstruir una sensación o una facultad: de pensamiento para el caso de las «sienes», de sentimiento para el caso de «corazones». En lo que se refiere a «licor», el sentido no puede dejar de lado el rasgo de dulzura y empalago, antes presente en «tartas caídas», «cabello de ángel» y «polvillo de azúcar», todo ello, para expresar una sexualidad reprimida convertida en sensiblería y empalago de «buen tono»; y ahora en «los corazones» se hace, como ya he comentado, con el objetivo de desfigurar toda significación seria y sentimental.

Así las cosas, en esta estrofa el sentido se convierte en una espiral de significación montada en una arquitectura sintáctica que se presta a colocar los elementos en perspectiva y en cadena desde la mayor onda expansiva de oraciones principales a la menor de complementos de oración, para terminar en el punto de fuga final de la proposición de relativo «que sabe a memoria o a cita». Pero a su lado, como ya señalé al principio, hay una espiral de sentido que recorre las significaciones por diferentes planos y rasgos según el tempo en que son recibidas. La objetividad de tal espiral no consiste en el objeto que se tiene a primera vista, sino en el proceso que lleva hasta él. Y por eso, si se unen aristas y planos para formar un cubo, bien parece que el fondo común o el volumen de este objeto –el referente– es la definición de vals deconstruido a cada paso. Ahora bien, al señalar un objeto, simplifico y reduzco toda la experiencia a una entidad sencilla ('el vals') que únicamente describe aquello que el lector cree tener delante en toda su inmediatez, pero que, al mismo tiempo, proscribe el proceso, la dimensión mental y el tiempo de recorrido necesarios para unir los rasgos y significaciones («El Vals»).

Y en este sentido, lo que importa ahora es preguntarse sobre cuál es la facticidad que lleva a recorrer rasgos y a marcar tempos diferentes; tales como el ir de la actividad física y psíquica rectora de las «cabezas» al trastorno del sentido del equilibrio en «son nubes», de lo modulado de «la música» a la uniformidad de una «goma», de lo gaseoso («nubes») a lo viscoso («goma»), de lo elástico a lo maleable, del líquido al sólido, de lo que va por el aire («colas casi vuelan», «estrépito») a lo que circula siendo sólido-líquido-gaseoso a la vez («sangre»), y de esto mismo a lo líquido-dulce-gustativo hasta llegar a lo fantasmático o intelectual («memoria», «cita»). Por no hablar del paso de un línea geométrica a otra, de una sensación a otra bien distinta, de uno a otro órgano. Y además, ¿cuál es el determinado sentido y orientación que toman todos estos rasgos, convertidos en pura sinergia o concurso de los sentidos y del sentido, con apertura de círculos a modo de espiral que no se cierra nunca a medida que toca significaciones? A mi modo de ver, la facticidad está en el mismo encuentro con las significaciones pues encuentro, siguiendo a Heidegger, equivale a encontrarse bien o mal, es decir, recibirlas y tocarlas desde una actitud previa o estado (*Befindlichkeit*) que las atempera. Más concretamente, el estado que las encuentra y las diseña, marcando pasajes entre naturalezas bien distintas y creando sentido, consiste en una actitud previa de *de*formación y anomalía, *des*afinamiento o *de*turpación, todo ello presente en el prefijo «*de-*.» Y en consecuencia, el proceso está precisamente en la significación de esta estrofa como línea de sentido que va tocando significaciones a medida que las *trans*ustancia y *tras*toca para *des*virtuarlas y *de*valuarlas. Ahora bien, no se debe olvidar que este «trans-» y este «de-/dis-» se inscriben en una espiral de recorrido que tiene un tiempo mental o tempo, el necesario para que la comprensión recorra los diferentes planos en una línea de *de*venir trazada por el sentido. Quiero decir que el «de-» de deformación coincide con el «de-» de devenir y de *deferencia* o tempo mental que coloca e inclina las significaciones.

La idea cubista era crear un poliedro cuyas caras representan rasgos esenciales de cada momento o tempo perceptivo, conectadas entre sí o recorridas circularmente por la línea del tiempo de la comprensión o cuarta dimensión. En «El vals» tal línea es el *de-* deturpador que rige todos los momentos o tempos perceptivos para formar una espiral fiel reflejo del movimiento de traslación de un vals *des*afinado que no encuentra su punto de fuga.

Por contra la línea de sentido medieval y barroca es como el hilo de la madeja de las Hilanderas. En el detalle, portada de este libro, vemos como hay un hilo que ha producido la rueca y que va hacia adelante, pues se ordena en círculos en un pequeño artefacto de palos de madera para salir sin nudos y enredos y liarse al fin en la madeja (¿quién no ha sujetado el hilo con los brazos rectos para que nuestras madres hicieran la madeja?). Ese hilo que cuelga del pequeño artilugio hecho de palos es el hilo del sentido, y nos hace reflexionar en el instante, definido en su cometido de ir hacia adelante hasta encontrar el punto de fuga de la madeja. En un contexto medieval o barroco el hilo es la plenitud del instante que –desde un ejercicio de razón y de ingenio– te hace ser consciente del punto de origen del que partió, del punto presente en que se desarrolla y del punto de fuga al que llegará; así en Quevedo: «En el hoy y mañana y ayer, junto / pañales y mortaja, y he quedado / presentes sucesiones de difunto» (J. M. Blecua, *Poesía de la Edad de Oro II*, 187). Para Garcilaso el punto de fuga es el dolor extremo, un «sé que me acabo» del soneto I. En ambos está ese sentimiento medieval del fin manifestado siempre en el presente, así Manrique: «Y pues vemos lo presente / cómo en un punto se es ido / y acabado». Pero en cambio, en Aleixandre la belleza intemporal de «hermosa como la piedra / oh difunta» es un punto de origen, sí, pero, para una posterior espiral de tiempos o momentos perceptivos que son «presentes sucesiones de difunto», no en el sentido de Quevedo de un lineal *tempus fugit* del presente hacia un punto final, sino en el de un tiempo destructor, deformador y agitado que distorsiona sensaciones, que es circular (pues va de acá para allá en movimiento de agitación) y donde al final te hallas perdido.

XI. Tempo de rotundidad

Ya en la última parte del poema, el lector entra en una nueva espiral:

> Adiós adiós esmeralda amatista o misterio
> adiós, como una bola enorme ha llegado el instante
> el preciso momento de la desnudez cabeza abajo
> cuando los vellos van a pinchar los labios obscenos que saben
> Es el instante el momento de decir la palabra que estalla
> el momento en que los vestidos se convertirán en aves
> las ventanas en gritos
> las luces en socorro
> y ese beso que estaba (en el rincón) entre dos bocas
> se convertirá en una espina
> que dispensará la muerte diciendo:
> Yo os amo.
> (38-49.)

En esta última parte hay un repentino («el instante [...] el preciso momento») cambio de sentido. Esto no implica abandonar el camino andado:

a estas alturas resulta imposible pues el lector y el poema ya tienen un sentido dentro de la espiral de significación en una actitud de encuentro o estado definida por la anomalía o lo desafinado. Por eso, cambiar de sentido supone, en este contexto deturpador, cambiar y trastocar el sentido que se ha venido construyendo; a este respecto baste recordar el verso «es todo lo revuelto que arriba» (24).

La orden de salida y de cambio la da, por un lado, el «adiós adiós... adiós» a un estado anterior cuyo sentido perdura todavía en forma de retazos de la percepción, y, por otro, la bienvenida a una situación nueva («ha llegado el instante»). Siguiendo este aspecto, es importante ver cómo perdura el sentido y cómo se configura en un orden nuevo o estado de ánimo. Así pues, «esmeralda amatista o misterio» envía el sentido a su lugar de origen, es decir, «eres hermosa como la piedra / eres dichosa como la nave», si bien, como estudiaré más abajo, con un léxico más intensificador y cristalizado («piedra» > «esmeralda amatista»). Por ello, se retorna a esa actitud arqueolítica que acumula formas en el tiempo, entendido éste como la dimensión temporal sin el «de-» anterior de devenir. El *formosus* de perfección de «como la piedra» se intensifica, dado que ahora las formas se cristalizan en los prismas hexagonales de la esmeralda y en las aristas del cuarzo del amatista, y en la transparencia teñida de violeta o de verde. Por otra parte, en estas piedras preciosas entra en juego la luz, y entra por primera vez, pues no apareció en ningún momento en el poema, es más, se negó de diferentes formas: aniquilando el sentido de la luz en la vista («serrín en los ojos»), atomizando la atmósfera sea con elementos de desecho («olas de afrecho», «serrín en los ojos... en las sienes») sea con elementos cristalizables («polvillo de azúcar»), y haciendo opaca cualquier forma transparente («un dulce sí de cristal pintado de verde»). Por tanto, grande será el cambio de sentido para poder pasar de «un cristal pintado de verde» a la «esmeralda amatista o misterio» con un verde o rojo cristalizados por el tiempo y relucientes en la luz del instante. Y hay más, porque lo que antes era «un dulce sí» procedente del artificio y de una «languidez que revierte», languidez que contribuía a deslavazarlo, ahora pasa a ser «misterio», es decir, discurso que se hace en la prospección de la forma y del tiempo. Y, por último, lo que es ahora forma cristalizada matemáticamente —en prismas— por el tiempo, era antes «polvillos de azúcar» o formas cristalizables y diluibles en una circunstancia de superficialidad.

Ya en el verso siguiente, el instante queda representado como «una bola enorme»; con ello entra de nuevo la geometría de la curva, ahora representada por un cuerpo esférico que muestra la totalidad y perfección, y cuya única contigencia es la de ser «enorme», adjetivo que resalta, y no adultera o deconstruye, dicha perfección. La geometría curva anterior estaba constantemente expuesta a contingencias que o bien alteraban o bien depauperaban el significado: se atomizaba el cuerpo o área de la curva en «olas de afrecho», el pliegue o vuelo curvo de la falda se convertía en algo picudo en «faldas largas hechas de colas de cocodrilo», la belleza sentimental y formal del cuerpo esférico en «una lágrima» se deconstruía desde un estado de sensiblería, se negaba a la playa su perfil en «playa sin ondas», la redondez de los pechos se encasquetaba en una bandeja en «pechos exuberantes en bandeja», y otros tantos ejemplos. Por contra, giro muy contrario es el de «como una bola enorme ha llegado el instante» pues se quiere expresar lo que sería la rotundidad del instante. Y cuando me refiero a «rotundidad» es porque ésta tiene en su definición etimológica este rasgo geométrico curvo y esférico: *rotundus* o redondo coma la *rota* o rueda. Por ello, con «bola enorme» se intensifica esa geometría curva hasta llegar a la perfección de una circunferencia. Se contrapone claramente este verso a «todo lo revuelto que arriba», donde el estado de confusión y deformación se contrapone ahora al instante o estado que llega compacto y sin fisuras.

Por otro lado, este instante se define como «el preciso momento de la desnudez cabeza abajo», por contraposición a una desnudez que ha sido tapada sistemáticamente desde ese estado de represión que venía de la educación y el «buen tono». Y es precisamente este estado el que pervertía todo ejercicio o todo estado de conciencia que estuviera regido por la «cabeza» y por la visión: «serrín en los ojos / o si acaso en las sienes», «un polvillo de azúcar sobre las frentes» y «las cabezas son nubes». Por contra, «desnudez cabeza abajo» abre un ángulo de visión del cuerpo —de sí mismo o bien de otro u otra–, mirar o mirarse de arriba a abajo, y que va desde los pies al pecho y principalmente en los órganos sexuales, cuya visión está completamente limpia de elementos que la alteran y pervierten. Así, los «pechos» —aquello que viene inmediatamente debajo de la cabeza– del verso veinticinco tienen ahora una visión desnuda y perfecta, mientras que antes —«pechos exuberantes en bandeja en los brazos»– estaban en el corsé de la bandeja del «buen tono» y la sensiblería.

Pero el efecto de «cabeza abajo» es mayor si se atiende al desplazamiento de la comprensión o percepción de la «cabeza» al sexo: así, el equilibrio físico –antes, vértigo y agitación– y los estados que suelen ponerse «arriba» –en la intelección–, se desplazan ahora al lugar de «abajo» donde está el sexo y el deseo. Y en este sentido el verso siguiente deja claro estos ángulos y posiciones: «cuando los vellos van a pinchar los labios obscenos». Se confirma que el centro de la visión son «los vellos» del sexo que antes era referido con la expresión «vello del pubis» y ahora se rechaza «pubis» por sus connotaciones de «buen tono» y de «biendecir». Pero hay un nuevo desplazamiento, pues además de ser visión, se convierte ahora en tacto: «los vellos van a pinchar los labios que saben». Y esta situación remite a otra de tacto: «las manos se acortan más redondeadas que nunca / mientras fruncen los vestidos». Distan las dos situaciones en el rasgo 'cubierto / descubierto' por la educación y por el sexo respectivamente, coinciden en que se insertan en un estado de malestar y violencia en el momento del tacto: por un lado, «frucen los vestidos», por otro, «*pinchar los labios obscenos*» donde «obscenos» alude a una representación del sexo como algo *malicioso* y ofensivo –«pinchan»– al pudor. Quiere decir que, a pesar de experimentar un nuevo estado de desnudez, todavía está vigente el sentido de la educación, y que se ve en la significación de «cabeza abajo» como «cabizbajo/a» o avergonzado/a. Por último, no quisiera dejar de lado otro desplazamiento presente en «los labios obscenos que saben» en los significados de saber: se traslada desde el intelecto en su versión de discurso, palabra y conocimiento –saber– hasta el sentido gustativo de unos labios que tocan y «saben».

El siguiente momento estrófico remite de nuevo a momentos anteriores y a significaciones que el lector tiene latentes en la memoria. Así, «el momento de decir la palabra que estalla» se contrapone al eje que ha venido vertebrando todo el poema, esto es, «un elegante biendecir de buen tono.» Y «el momento en que los vestidos se convertirán en aves» también se contrapone al otro eje que manejaba el discurso, es decir, el de 'cubierto / descubierto', presente, por ejemplo, en «largas faldas hechas de colas de cocodrilo» y, sobre todo, «las colas de plomo casi vuelan». Por otra parte, los versos «se convertirán [...] las ventanas en gritos / las luces en socorro / y ese beso que estaba (en el rincón) entre dos bocas» construyen un espacio cerrado que podría connotar el lugar concreto donde se ha desarrollado «el vals», si bien antes era lugar de coqueteo desde signos exteriores («abanico», «bigotes») que eran frontera entre el «buen tono» y el deseo, todo desde una fuerza controlada: las «damas» se muestran «a fuerza de abanico insistente», y «los caballeros», pretenden «atraer todas las miradas a la fuerza hacia sus bigotes». Ahora la fuerza no es controlada por el «biendecir» sino por «decir la palabra que estalla», y por eso el espacio se vuelve pura fuerza –«estalla»– y pura violencia –«las ventanas en gritos / las luces en socorro».

XII. Tempo de destrucción. Tempo de ironía

Resumiendo, asistimos desde el toque inicial de «adiós adiós» a un tempo de la rotundidad del instante que vuelve del revés todos los rasgos aparecidos en el tempo de la deformación que se inició en el cuarto verso. Se partía al principio de una noción de perfección en las formas que creaba un tempo de formación; después, se deconstruían sistemáticamente estas formas dentro de un tempo de deformación y, al final, se llega a un tempo de rotundidad donde aparece de golpe el perfil nítido de aquellas imágenes y significaciones que se habían negado y distorsionado anteriormente.

Para entender el final del poema, quiero volver a la definición de espiral de Paul Klee, quien da por esencial el sentido de la flecha o línea que hace transcurrir la espiral («la question du sens reprend son importance») y, en consecuencia, distingue dos movimientos: uno de «evasión centrífuga» que da libertad de salida de la espiral, otro centrípeto que refleja «une soumission croissante à un centre qui finit par tout engloutir». Tanto uno como otro, según la decisión que depende de la flecha realizan «une question de vie ou de mort».

La espiral de sentido se ha venido construyendo a lo largo del poema en un sentido de la flecha que tiene una orientación negativa. Dado que el sentido de la orientación crea desde sí mismo el sentido de la significación[11], el resultado es que la espiral se ha construido a través de tempos diferentes que han tocado las significaciones por los rasgos que deforman, degeneran y niegan ese vals de «belleza» ideal y de «dicha» del principio. El tempo final de la última estrofa destapa todo ese caparazón de negatividad y deformación que se ha venido construyendo para que surjan con nitidez los perfiles y rasgos que se han negado constantemente: belleza («esmeralda»), palabra («misterio»), sexo («vellos»), amor («beso»).

Pero la ironía final es que ese traer al descubierto lo negado y deconstruido no crea una espiral de sentido que se base en la afirmación y en la positividad, sino que se asienta en la espiral de negatividad que mueve todo el poema. Con lo que el resultado final es que la flecha de negatividad acaba por por ser «une soumission croissante à un centre qui finit par tout engloutir» (Klee), es decir, un movimiento centrípeto en que la belleza reconstruida y el Eros que ésta trae consigo se afirman y se niegan al mismo tiempo desde el Thánatos: «y ese beso [...] / se convertirá en una espina / que dispensará la muerte diciendo: / Yo os amo».

Resulta imposible, entonces, desprenderse y escapar de esa espiral de deformación y desafinamiento que todo lo ha ido moviendo, resulta imposible también escapar de un centro destructor que todo lo afirma desde la negatividad y desde la deformación, resulta imposible encontrar un punto de fuga final. Por tanto, no hay espacio para entender el «Yo os amo» final como un Eros creador, sino como un Thánatos que hace mover las significaciones en movimientos giratorios y de traslación desde un tempo de ironía que niega y afirma a la vez.

NOTAS

[1] «Das Worin des sich-verweisenden Verstehens als Woraufhin des Begegnenlassens von Seiendem in der Seinsart der Bewandtnis ist das Phänomen der Welt» (*SuZ*, §18, p. 86, subrayado del autor).

[2] A=oración copulativa, B=proposición comparativa y C=proposición admirativa.

[3] «Telle qu'elle s'offre à l'esprit, du point de vue plastique, la quatrième dimension serait engendrée par le trois mesures connues: elle figure l'immensité de l'espace s'éternisant dans toutes les directions à un moment déterminé. Elle est l'espace même, la dimension de l'infini; c'est elle qui doue de plasticité les objets» (Apollinaire, «Méditations esthétiques. Les peintres cubistes», 11). 'Ofrecida al espíritu, desde el punto de vista plástico, la cuarta dimensión sería

engendrada por las tres medidas conocidas. Esta dimensión representa la inmensidad del espacio enternizándose en todas la direcciones en un momento determinado. Esta es el espacio mismo, la dimensión del infinito, es la que da plasticidad a los objetos.'

[4] «Les grandes pensées viennent du cœur, dit un moraliste. Ce qui signifie qu'on ne pense que les idées devenues forces de conviction ou sentiment. C'est avec cette intelligence physiologique qu'il faut écrire» (Jacob, Max, *Art poétique,* 11). 'Los grandes pensamientos vienen del corazón, dice un moralista. Lo que significa que se piensa en las ideas convertidas en fuerzas de convicción o sentimiento. Es necesario escribir con esta inteligencia fisiológica.'

[5] «Sobre el parecido o no parecido de A [real] y B [imagen] que declaro ininteresante, primarán mis interesantísimas afecciones. Si A y B me producen sentimientos parejos, puedo emparejar a A y B en una ecuación imaginativa, ya que resultan similares en lo que a un campeón del idealismo como yo soy le merece más crédito. La imagen visionaria es, pues, el resultado, no sólo del irracionalismo contemporáneo, sino directamente del subjetivismo», en «Imagen y visión», *La poesía de Vicente Aleixandre,* 157; ver especialmente pp.148-182.

[6] «¡Éxtasis! Porque broten en esta oscura alcoba / Los recuerdos dormidos en esa cabellera, / La quiero hoy agitar, cual si un pañuelo fuese/ Languidecientes asias y áfricas abrasadas, / Todo un mundo lejano, ausente, casi muerto,/ habita tus abismos, ¡árboleda aromática!» («La cabellera», trad. Antonio Martínez Sarrión, Madrid: Alianza Editorial, 1977, 37).

[7] ...Nadie posee
lo que no sabe ver. Si das la espalda
a todo un territorio de matices,
cómo van a ser tuyas las montañas?
(Aníbal Núñez, *Figura en un Paisaje.*)

[8] «Todo el arte es una ilusión óptica, una ilusión de vida, como toda teoría es una ilusión del sentido, que toda la pintura, lejos de ser una versión expresiva, y entonces pretendidamente verídica, del mundo, consiste en construir ilusiones donde la realidad supuesta del mundo sea lo suficientemente ingenua como para dejarse coger. Reencontrar, a través de la ilusión, una forma de seducción fundamental.»

[9] Recuperación del «suono-rumore» en *L'arte dei rumori. Manifesto futurista* (1916) de Luigi Russolo: «L' arte musicale ricercò ad ottenere dapprima la purezza e la dolcezza del suono, indi amalgamò suoni diversi, preoccupandosi però di accarezzare l'orecchio con soavi armonie. Oggi l'arte musicale complicandosi sempre più, ricerca gli amalgami di suoni più dissonanti, più strani e più aspri per l'orecchio. Ci avviciniamo così sempre più al *suono-rumore*» (Russolo, 130). Este aspecto ha sido objeto de estudio en José Barroso Castro, «Fenomenología de la Creación: *tempo* y sensibilidad en *Imagen* de Gerardo Diego», *Gerardo Diego* (1886-1996), Cuenca, Universidad de Castilla-La Mancha, 1997.

[10] «Las variaciones progresivas de la línea combinadas con el movimiento periférico transforman el círculo en espiral. Del aumento de la línea resulta la espiral de vida. El acortamiento de la línea disminuye cada vez más las revoluciones, y el bello espectáculo retrógrado justo hasta el punto donde se destruye. El movimiento no es infinito, aunque las cuestión del tiempo tiene su importancia. Éste decide bien una evasión centrífuga hacia una libertad progresiva de movimiento, o bien hacia una sumisión progresiva a un centro que termina por absorberse todo. Es una cuestión de vida o muerte, la decisión depende del sentido de la pequeña flecha» (traducción mía).

[11] Pedro Salinas también logra individuar en *Espadas como labios* un sentido detrás de las significaciones: «detrás del ininterrumpido fluir de las palabras [...] (el libro) encierra un denso sentido poético»: en *Índice Literario,* año 1, n. 5 (1932). Aunque la reseña no está firmada, se sabe que el autor era Salinas.

174

Conclusión

En la introducción quedaban planteados los puntos de partida de este libro. Es el momento de resumir los puntos de llegada. Por ello, he creído oportuno centrar la conclusión en un glosario que permita al lector tener claros los puntos principales por donde se desenvuelve la comprensión poética como teoría general. No es alfabético el orden, sino lógico, según un esquema racional de los elementos que generan la comprensión poética.

Comprensión poética. Ejercicio de intelección y percepción de la palabra poética desde un ángulo mental donde se colocan las significaciones en un hilo de sentido según éstas sean aprendidas por un estado o reacción primera y primaria que permite tocarlas por aquellos puntos que han llamado la atención. Después de esta reacción primera viene una segunda lectura que sirve para repensar el conjunto de operaciones que se han realizado.

Deferencia. Estructura de intencionalidad que permite reconocer el referente y ligarlo al ángulo de comprensión poética en la forma de conciencia donde se genera el signo poético. Unidad de atención e inclinación que diseña previamente una estructura general de los puntos principales por donde se comprenden y se agarran las significaciones.

Tempo. La misma estructura de atención e inclinación anterior, pero desde un punto de vista temporal, vale decir: el tiempo mental y de la comprensión necesario para recorrer o marcar un itinerario por las significaciones desde los puntos o rasgos esenciales en que se ha desarrollado la comprensión y se ha agarrado el referente.

Estado. Estructura fundamental que da facticidad a la comprensión y al signo poético dado que es el primer estado de reacción o de encuentro con que son recibidas las significaciones. Encontrar equivale no sólo a dar con el referente, sino también a encontrarse bien o mal delante de tal referente. Estado consiste en la forma fundamental que permite dar un signo u otro al recorrido por donde van a circular las significaciones o, lo que es lo mismo, estado es crear, en los límites de la comprensión poética, un ámbito previo de encuentro donde se perfilan las significaciones según éstas sean bien o mal avenidas.

Sentido. Estructura de significación que es el resultado de colocar las sig-nificaciones en un hilo de sentido según la orientación que le dé un estado de ánimo general que permite tocar o sentir los significados que se despliegan del referente. O en otras palabras, *sentido* es a la vez: *sensus* o capacidad para tocar y percibir las significaciones, *orientación* que éstas toman según el ángulo de inclinación o deferencia en que son percibidas gracias a un estado que las encuentra y, por último, *estructura de significación* que es el resultado de colo-car las significaciones dentro de un orden de percepción.

Involucración. Primera toma de contacto con la palabra poética que con-siste en el diseño de una línea general de puntos por los que son tocadas las significaciones según el grado de atención o inclinación en que son tomadas.

Bibliografía citada

Abrams, M. H. *The Mirror and the Lamp. Romantic Theory and the Critical Tradition.* Nueva York: Oxford UP, 1981.

Agamben, Giorgio. *Estancias. La palabra y el fantasma en la cultura occidental.* Valencia: Pre-Textos, 1995.

Agustín de Hipona. «De Magistro/Del Maestro». *Obras filosóficas III.* Madrid: BAC, 1958.

Agustín de Hipona. *De Doctrina Christiana/La Dottrina cristiana.* Roma: Città Nuova Editrice, 1992.

Agustín de Hipona. *De Trininate/La Trinità.* Roma: Città Nuova Editrice, 1973.

Alberti, Rafael. *Roma, peligro para caminantes.* Barcelona: Seix Barral, 1977.

Aleixandre, Vicente. *Ámbito.* ed. Alejandro Duque Amusco. Madrid: Clásicos Castalia, 1990.

Aleixandre, Vicente. *Espadas como labios. La destrucción o el amor.* ed. José Luis Cano. Madrid: Clásicos Castalia, 1993.

Aleixandre, Vicente. *Pasión de la tierra.* ed. Gabriele Morelli. Madrid: Cátedra, 1993.

Alonso, Dámaso. «La poesía de Vicente Aleixandre». *Poetas españoles contemporáneos.* Madrid: Gredos, 1965. 267-297.

Alonso, Dámaso. *Poesía española. Ensayo de métodos y límites estilísticos.* Madrid: Gredos, 1966.

Amorós, Amparo. *Árboles en la música.* Palma de Mallorca: Calima ediciones, 1995.

Apollinaire, Gillaume. «Méditations esthétiques. Les peintres cubistes». *Œuvres en prose complètes.* París: Gallimard, 1991 [Trad. de Lydia Vázquez, *Los pintores cubistas,* Madrid: Visor, 1994].

Aristóteles. *Sobre el alma.* Madrid: Gredos, 1987.

Aristóteles. *Retórica.* trad. Quintín Racionero. Madrid: Biblioteca Clásica Gredos, 1990.

Barroso Castro, José. «Fenomenología de la Creación: *tempo* y sensibilidad en *Imagen* de Gerardo Diego». *Gerardo Diego (1886-1996).* Cuenca: Universidad Castilla-La Mancha, 1997.

Barthes, Roland. *Le plaisir du texte.* París: Seuil, 1973.

Baudelaire, Charles. *Les Fleurs du Mal.* París: Le Livre de Poche, 1972.

Baudrillard, Jean. *Illusion, Désillusion esthétiques.* París: Sens & Tonka, 1997.

Berceo, Gonzalo de. *Obra Completa.* Madrid: Espasa-Calpe/Gobierno de la Rioja, 1992.

Bousoño, Carlos. *La poesía de Vicente Aleixandre.* Madrid: Gredos, 1968.

Bousoño, Carlos. *Teoría de la expresión poética I.* Madrid: Gredos, 1985.

Brunet, Christian. *Braque et l'espace.* París: Klincksieck, 1971.

Buenaventura, «De plantatione Paradisi/De la plantación del paraíso». *Obras III.* Madrid: BAC, 1958.

Casares, Julio. *Diccionario ideológico de la lengua española.* Barcelona: Gutavo Gili, 1979.

Cernuda, Luis. «Vicente Aleixandre». *Prosa Completa.* Barcelona: Seix Barral, 1975. 453-63.

Cervantes, Miguel. *Novelas ejemplares.* Madrid: Clásicos Castellanos, 1962.

Cetina, Gutierre de. *Poesías.* Ed. Begoña López Bueno. Madrid: Cátedra, 1983.

Contini, Gianfranco ed. «Guido Cavalcanti». *Poeti del Duecento.* Milán-Nápoles: Ricciardi-Mondadori, 1995. 487-567.

Culler, Jonathan, «Prolegomena to a Theory of Reading». *The Reader and the Text.* Princeton: Princeton UP, 1994.

Dante Alighieri. *De vulgari eloquentia.* Florencia: Tea, 1988.

Dante Alighieri. *La Vita Nuova.* Bolonia: Hoepli, 1992.

Diccionario de Autoridades. Madrid: Gredos, 1984.

Dronke, Peter. «Arbor Caritatis». *Intellectuals and Poets in Medieval Europe.* Roma: Edizioni di Storia e Letteratura, 1992. 103-142.

Fabra, Pompeu. *Diccionari General de la llengua catalana.* Barcelona: Edhasa, 1984.

Fedi, R. *La memoria della poesia. Canzonieri, lirici e libri di Rime nel Rinascimento.* Salerno-Padua, 1990.

Ferraté, Joan. «Poesía y Símbolo». *Dinámica de la poesía.* Barcelona: Seix Barral, 1982.

Gadamer, Hans-Georg. *Verdad y Método.* Salamanca: Sígueme, 1993.

Gallego Morell, Antonio. *Garcilaso de la Vega y sus comentaristas.* Madrid: Gredos, 1972.

García Lorca, Federico. «La imagen poética en Góngora». *Obras completas.* Madrid: Aguilar, 1955. 65-88.

Garcilaso de la Vega. *Obra poética y textos en prosa.* Edición de Bienvenido Morros. Barcelona: Crítica, 1995.

Guillén, Jorge. *Lenguaje y poesía.* Madrid: Alianza Editorial, 1969.

Grondin, Jean. *Introduction to Philosophical Hermeneutics.* New Haven: Yale University Press, 1994.

Heidegger, Martin. *Holzwege.* Frankfurt: Klostrmann, 1950.

Heidegger, Martin. *Sein und Zeit.* Tubinga: Neomarius Verlag, 1931.

Herrera, Fernando de. *Poesías.* Ed. Vicente García de Diego. Madrid: Clásicos Castellanos, 1941.

Jacob, Max. *Art poétique*. París: Folio, 1980.

Jakobson, Roman. *Language in Literature*. Nueva York: Columbia U P, 1978.

Jeannie, K. «Four Lexical Notes on Berceo's *Milagros de Nuestra Señora*». *Romance Philology*. 37(1983): 58-60.

Klee, Paul. *Théorie de l'art moderne*. París: Folio-Denoël, 1985.

Lampedusa, Giuseppe Tomasidi di. *Il Gattopardo*. Milán: Feltrinelli, 1960.

Lapesa Melgar, Rafael. *La trayectoria poética de Garcilaso*. Madrid: Alianza Universidad, 1985.

Lapesa Melgar, Rafael. «Poesía de cancionero y poesía italianizante». *De la Edad Media a nuestros días*. Madrid: Gredos, 1967, 145-171.

Levinas, Emmanuel. *Humanisme de l'autre homme*. París: Fata-Morgana, 1972.

Levy, Emil. *Petit Dictionaire Provençal-Français*. Heidelberg, 1909.

Levy, Emil. *Supplement-Wörterbuch*. Leipzig, 1894.

Lezama Lima, José. «El secreto de Garcilaso». *La dignidad de la poesía*. Barcelona: Versal, 1989.

Lubac, Henri de. *Exégèse médiévale. Les quatre sens de l'écriture IV*. París: Aubier, 1964.

Maffina, G. F. ed. *Luigi Russolo e l'arte dei rumori. Con tutti gli scritti musicali*. Turín: Martano Editore, 1978.

March, Ausiàs. *Poesies*. Volum III, ed. Pere Bohigas. Barcelona: Barcino, 1993.

Merleau-Ponty, Maurice. *L'Œil et l'Esprit*. París: Gallimard,1997.

Moliner, María. *Diccionario de uso del español*. Madrid: Gredos, 1983.

Morón Arroyo, Ciriaco. *Las humanidades en la era tecnológica*. Oviedo: Nobel, 1998.

Núñez, Aníbal. *Figura en un paisaje*. Salamanca: Diputación, 1994.

Núñez, Aníbal. *Obra poética I*. Madrid: Hiperión, 1997.

Puccini, Dario. *La palabra poética de Vicente Aleixandre*. Barcelona: Ariel, 1979.

Prieto, Antonio. «El cancionero petrarquista de Garcilaso». *Dicenda*. 3 (1984). 97-115.

Real Academia Española, *Diccionario de la lengua española*. Madrid: Espasa, 1997.

Renart, Jean. *L'immagine riflessa*. Torino: Limentani, 1970.

Ricoeur, Paul. *La metáfora viva*. Madrid: Ediciones Europa, 1980.

Riffatterre, Michael. *Text Production*. Nueva York: 1983.

Rigolot, François. *Le texte de la Renaissance. Des rhétoriqueurs à Montaigne*. Ginebra: Droz, 1982.

[Salinas, Pedro]. «Sobre *Espadas como labios*». *Indice Literario*. Madrid: diciembre, 1932.

Sciascia, Leonardo. *Fuego en el alma*. Barcelona: Mondadori, 1983.

Sgalambro, Manlio. *La consolazione*. Milán: Adelphi, 1995.

Tomás de Aquino. «De malo / Sobre el mal». *Los filósofos medievales.* ed. Clemente Fernández. Madrid: BAC, 1980. 708-719.

Tomás de Aquino. *Summa Theologiae. Prima Pars.* Madrid: BAC, 1994.

Vattimo, Gianni. *Essere, storia e linguaggio in Heidegger.* Génova: Marietti, 1989.

Vattimo, Gianni. *Poesia e ontologia.* Milán: Mursia, 1967.

Voltaire. *Candide.* París: Larousse, 1990.

Zumthor, Paul. *Essai de poétique médiévale.* París: Seuil, 1976.

Zumthor, Paul. *La poésie et la voix dans la civilisation médiévale.* París: PUF, 1984.

Índice

21) The approach is of Heideggerian hermeneutics

Affectividad : 22

23) he adds Gadamer to Stylistics — & find his approach suffers from the
    soft hermeneutics of Gadamer
    & altho. he mentions his book (22-24) give got the feeling that he
    doesn't go into relation of event w/ lang.

80 etc) not enough sense of the materiality of lang

87) Image = { Species — Dante
             { Phantasma

90) Lezama on Garcilaso

91) Garcilaso against "eloquence"

124) Heidegger on différence.
     anay rel. w. Derrida ?